AN

MINUIT, QUAI D'ORSAY

DU MEME AUTEUR

Derniers ouvrages parus :

Aux PRESSES DE LA CITE :

L'Honneur des Albucci
Adieu, darling !
Les Invités du 24 décembre
Les Roses rouges de Palerme
Dix minutes pour survivre
Condamnée au silence
Un coup au cœur
En cette nuit-là
Faveurs Royales
Plutôt que d'en mourir
Une ombre sur la mer
La Treizième lady Greymor
Les Hauts murs de Penroc
L'Oiseau de solitude

En PRESSES-POCKET :

La Treizième lady Greymor
Plutôt que d'en mourir
Faveurs Royales

Aux Editions MARABOUT :

Une ombre sur la mer

Aux Editions FRANCE-EMPIRE :

Le Soleil dans les yeux
Un si long vertige
Les Nuits d'Andalousie
L'Eveil à l'amour
Tu es ma lumière

Aux Editions TALLANDIER :

Sandra et le tzigane
Un hiver à Black Stone
Ne dites jamais adieu

Aux Editions du DAUPHIN :

L'Orchidée noire
Un amour en jeu
L'Amour sur les chemins
Je renaîtrai pour toi

GINETTE BRIANT

MINUIT, QUAI D'ORSAY

PRESSES DE LA CITE
PARIS

ISBN : 2-258-01509-x

« Parfois, le mensonge explique mieux que la vérité ce qui se passe dans l'âme. »

M. Gorki,
Les Vagabonds.

SOUVENIRS D'ERIC LUND

I

J'arrêtai mon Opel au bord de la route poussiéreuse qui, au départ d'Heiligenblut, s'élance à l'assaut du Grossglockner. Un soleil éblouissant posait sur les mélèzes roux des fils d'or. En contrebas, la Möll ricochait de cailloux en rochers, joyeuse, à l'image de ce paysage serein qui aurait dû conditionner les âmes et ne les mettait pas, cependant, à l'unisson de sa grandiose majesté. Le doigt de Dieu avait touché ces terres. Son souffle imprégnait les zéphyrs, mais si grande était ma mélancolie que ces immensités contemplées tant de fois m'étaient devenues indifférentes. Pourtant, que de souvenirs affluaient en moi ! Mon regard ne fixait qu'un point dans la vallée : un château. Non pas un de ces vieux burgs allemands qui inspirèrent Wagner et Louis II pour son célèbre Neuschwanstein, en Bavière, mais un château gracieux comme celui de Blanche-Neige, avec des tourelles rondes, flanquées d'échauguettes de théâtre, plus faites pour contempler le paysage alentour que pour guetter l'assaillant.

Je ravalai la houle de rancœur qui montait à ma gorge. Ludmillia... Etait-il possible qu'elle fût partie en Ecosse pour un voyage d'agrément et qu'elle se fût mariée là-bas, sans même demander l'assentiment de son oncle, cet Oscar von Bremer pour lequel j'éprouvais tant d'antipathie ?

Jusqu'alors, je m'étais contenté de la rumeur publique à laquelle, pourtant, je n'avais pas voulu ajouter foi. Je ne pouvais croire un mot de cette histoire, bien qu'un de mes amis m'eût lancé à la tête :

— Que veux-tu, souvent femme varie... Bien fol qui s'y fie !

Une maxime qui concernait peut-être toutes les créatures fantasques qui se jouaient du cœur des hommes avec un art consommé, mais pas « ma » Ludmillia !

— Non, pas elle ! m'étais-je écrié avec des larmes dans la voix. Nous nous aimions ! Tu n'ignores pas que nous avions projeté de nous marier dès que j'aurais acquis une position stable. Mes débuts dans le journalisme étaient prometteurs. La preuve, il y a trois semaines, j'ai été nommé à Vienne. Pourquoi ne m'a-t-elle pas attendu ?

— Sans doute parce qu'elle ne croyait pas en ta bonne étoile et qu'elle aura eu le coup de foudre pour un autre...

De telles répliques n'avaient pas eu le don de m'assagir. Moi, Eric Lund, je me connaissais un défaut : j'étais têtu. Ce que je voulais, je le voulais bien. C'était surtout grâce à cela que j'avais pu convaincre mes supérieurs de mieux employer mes talents. Un style alerte et une analyse rationnelle des événements : deux qualités indispensables pour réussir dans une carrière pleine d'embûches. Naturellement, je rêvais de grands reportages. Ne parlais-je pas le français et l'anglais aussi bien que ma langue maternelle ? On m'avait promis de m'envoyer très bientôt à Strasbourg pour le Congrès européen. Le rédacteur en chef de la *Kronen Zeitung* m'estimait tout particulièrement. En bref, j'aurais eu mille raisons de considérer la vie sous son meilleur angle, si Ludmillia von Bremer l'avait partagée avec moi.

Toujours immobile dans la lumière de cet automne radieux, les poings fermés sur quelque ennemi invisible, la bouche tendue comme un arc, les sourcils froncés, je continuais de fixer le château.

Bientôt je repérai le vieux chêne appuyé contre la grille de fer rouillé continuellement cadenassée. Cette issue condamnée depuis longtemps, car elle donnait sur un chemin raviné en bordure du bois, nous servait de point de ralliement. C'était déjà là que nous nous donnions rendez-vous quand je n'étais, moi, qu'un garçonnet aux cheveux fous, et elle, une petite fille moins modèle qu'il n'y paraissait. N'avait-elle pas vite fait d'escalader la grille, au risque de déchirer sa jolie robe blanche et de ternir ses souliers vernis ? Le fils du garde forestier et la petite demoiselle s'aimaient depuis l'enfance ; un tendre sentiment qui s'était mué au fil du temps en amour véritable. Pour nous, il n'y avait jamais eu de conventions ni de barrières sociales. Certes, Oscar von Bremer, qui était à la fois l'oncle de la jeune fille et son tuteur, avait tenté de nous séparer. Ses naïfs stratagèmes ne réussissaient guère. Nous prenions le parti d'en rire. Et puis il y avait eu ce voyage en Ecosse dont Ludmillia ne semblait pas particulièrement se réjouir, ce voyage dont elle n'était pas revenue...

Un an. Un an s'était écoulé depuis ce jour funeste où je l'avais vue, de l'endroit où je me tenais aujourd'hui, monter dans la voiture qui devait la conduire à la gare de Vienne. Il avait été prévu qu'elle prendrait le train jusqu'à Paris qu'elle voulait visiter, et de là l'avion pour Edimbourg.

— Nous nous rencontrons si rarement maintenant, m'avait-elle dit avec un soupir, que je peux bien me distraire un peu. Ainsi le temps me paraîtra-t-il moins long...

Il était naturel qu'elle cherchât à meubler les semaines pendant lesquelles mon travail me tenait éloigné d'Heiligenblut. Pourtant, je n'avais pas envisagé ce voyage d'un bon œil. Pressentiment ? Non. Pour moi, tout était acquis, immuable. Comment aurais-je pu imaginer que Ludmillia ne reviendrait pas ? Qu'elle se marierait sans même m'adresser un mot d'adieu ? Cette désinvolture ne cadrait pas avec le tempérament foncièrement honnête de la jeune fille.

J'en eus brusquement assez de ressasser mes griefs. Faisant faire demi-tour à ma voiture dans le premier chemin de terre venu, je redescendis vers le village, puis m'engageai dans l'allée qui conduit au burg. Une tranquille assurance m'habitait, une assurance que j'étais loin de posséder lors de ma visite précédente, quelque dix mois plus tôt. Avec Oscar von Bremer, cette visite s'était réduite à sa plus simple expression :

— Je conçois que tu sois peiné, mon garçon, m'avait-il dit en me frappant familièrement dans le dos, tout en me reconduisant sur le perron, mais il faudra bien t'y habituer. Dans notre milieu, on ne se mésallie pas. Ludmillia qui voyait surtout en toi un camarade d'enfance a fini par le comprendre. Je déplore simplement qu'elle se soit passé de mon consentement — consentement qui lui aurait été accordé sans aucune restriction, je le précise — car je rêvais pour elle d'un grand mariage, ici, dans cette église d'Heiligenblut si justement célèbre [1]. Nous avons tant de relations que nous aurions pu convier à la cérémonie ! L'homme qu'elle a épousé est en tout point digne de notre nom. J'ai dû ravaler mes regrets... Fais-en autant !

Les arbres qui se dénudaient tapissaient l'allée d'ocre et de pourpre. Brusquement, le soleil s'était caché et quelques nuages flottaient au ras des tours.

Par la vitre entrouverte de l'Opel s'engouffrait une odeur de résine et d'humus que l'air vif des monts allégeait. Bientôt l'hiver mettrait ces bois en léthargie, et y installerait le silence. Déjà, rares étaient les pépiements : les oiseaux semblaient avoir disparu. Peut-être était-ce pour cela que l'on entendait plus perceptiblement les murmures du ruisseau qu'un romantique pont de pierres toutes moussues par les ans enjambait.

Je m'arrêtai sur le bas côté pour fumer une cigarette et réfléchir. Presque aussitôt, j'entendis le bruit d'un

1. Un ciboire ciselé, enfermé derrière des grilles dorées, contient le Saint Sang du Christ rapporté de Constantinople au Xe siècle.

moteur. Mû par un réflexe instinctif, j'engageai ma voiture dans le hallier. Un rien de timidité, peut-être ? Je ne m'étais jamais aventuré sur les terres des barons de Bremer sans éprouver une sorte de gêne.

De mon point d'observation, je vis passer Oscar von Bremer au volant de sa puissante Mercedes. Un cigare à la bouche, l'homme paraissait tout à fait satisfait de son sort. J'aurais pu bondir sur le chemin et tenter de le stopper dans sa course, mais je n'en fis rien, heureux qu'il me laissât le champ libre.

Il y avait des semaines qu'une vague idée me tourmentait. Aujourd'hui, elle se concrétisait : je n'étais pas venu de Vienne pour rencontrer de nouveau l'oncle de Ludmillia, mais pour y revoir la vieille Marion. Cette dernière n'avait-elle pas, en dehors des préceptrices qui s'étaient succédé auprès de l'héritière, tenu un rôle important dans son ombre ? Tout en étant sa lingère, ne lui avait-elle pas servi de confidente ?

Si quelqu'un savait les raisons de ce mariage à la sauvette, ce ne pouvait être qu'elle.

Malgré ma surexcitation, je gagnai lentement la vaste esplanade où s'élève le château. Contournant alors le bâtiment, j'allai me garer devant l'entrée de service. Quelques instants plus tard, je frappai à la porte des communs. Un majordome tout nouvellement engagé — je n'avais jamais vu cette face blême dans ce grand corps maigre, ni ces petits yeux fureteurs et malveillants — me reçut avec hauteur.

— Vous désirez ? Le colportage est interdit. Si vous aviez lu l'écriteau à l'entrée de la propriété, vous ne seriez pas venu jusqu'ici.

— Permettez... Je suis un ami des Bremer.

— J'en doute. Herr Oscar reçoit peu. Quant à Fraü Hildegarde...

Il eut un geste évasif de la main qui rejetait avec ostentation la grand-mère paternelle de Ludmillia.

— Tout le monde sait, ajouta-t-il, qu'elle ne quitte guère sa chambre depuis l'accident qui lui a fait perdre l'esprit.

— Aussi ne suis-je pas venu voir Herr Oscar pas plus que Fraü Hildegarde, répondis-je calmement. Mais la vieille Marion.

J'ignorais son nom de famille. Pour moi, comme pour Ludmillia, elle avait toujours été Marion, celle auprès de qui on pouvait se réfugier en toutes circonstances.

Le grand escogriffe leva un sourcil.

— Voilà qui est bien vague. Nous avons une Marion à l'office et une autre pour le ménage. Toutes deux sont jeunes, crut-il bon de préciser.

— Je parle de la lingère de Fraülein Ludmillia.

— Elle a pris sa retraite, daigna répondre le majordome avec le même air déplaisant. Je crois savoir qu'elle est partie loin d'ici.

— Au village, tout le monde l'ignore...

— C'est très récent. Huit jours à peine.

Eberlué, je demeurai sans voix. Mon interlocuteur me rappela à l'ordre :

— Eh bien ! Vous voilà renseigné.

Rentrant dans la cuisine comme une fouine dans son terrier, il me ferma la porte au nez.

Je regagnai donc ma voiture. Comment Marion avait-elle pu abandonner le château pour s'en aller Dieu sait où ? Il fallait qu'elle y eût été contrainte. Née en ce lieu, elle y avait passé toute sa vie, une vie de labeur jalonnée de drames. Veuve avant la naissance de l'enfant qu'elle attendait, elle avait perdu celui-ci en bas âge et reporté par la suite son affection sur Ludmillia. Il n'avait jamais été question qu'elle terminât ses jours ailleurs qu'en cette demeure. Ludmillia en tout cas ne l'aurait pas toléré. Oui, mais Ludmillia était loin et Oscar von Bremer ne s'embarrassait pas de préjugés !

Hâtivement, je quittai la propriété en direction d'Heiligenblut. Mon père devait être en train de jouer aux cartes à l'hôtel Glocknerwirt. Ma mère, quant à elle, tenait un magasin de souvenirs juste en face. Pour l'heure, elle ne savait plus où donner de la tête. Les touristes, descendus d'un car français, s'étaient précipités dans sa boutique, avides de tableautins sculptés dans le bois, d'assiettes ou de vases représentant le village blotti auprès de son église. C'était à la fois naïf et ravissant. Ma mère gagnait bien sa vie, tant que la route des sommets demeurait dégagée et qu'on pouvait accéder à la terrasse panoramique, appelée la Franz-Josefs-Höhe, d'où l'on peut admirer le majestueux Grossglockner, le Johannisberg et la coulée glacière de la Pasterze.

De bonne grâce, je l'aidai à faire face à l'invasion des acheteurs de cartes postales et de pellicules. Un quart d'heure plus tard, nous nous retrouvâmes seuls. Tout de suite, elle m'interrogea du regard. Ce fut pour me découvrir plus sombre encore que deux heures plus tôt. Ne cesserais-je donc jamais de penser à Ludmillia ? Allais-je gâcher ma vie pour un amour trahi ? Rien ne la contrariait autant que le silence dans lequel je m'enfermais, moins par crainte de recevoir quelque remontrance que par désir de faire face, en apparence, au chagrin qui me minait.

— Je suis allé au château, dis-je pourtant. Marion est partie.

Ma mère s'arrêta de compter les billets de banque qu'elle triait avec application, la monnaie française d'un côté, l'autrichienne de l'autre.

— Partie ? répéta-t-elle, incrédule. C'est impossible ! Je veux dire incroyable ! Marion avait l'espoir de terminer ses jours au château. Elle ne peut s'être éloignée de son plein gré. Elle possédait bien une petite maison du côté de Linz, mais elle m'avait dit qu'elle la vendrait. Les murs étaient salpêtrés et la toiture à refaire.

— Elle se sera retirée dans une maison de retraite.

— Ce n'était guère son genre. Mais, d'autre part, n'oublions pas qu'elle était sans famille. Bizarre, tout de même...

— J'ai l'intention de la rechercher, dis-je d'un ton ferme. Peut-être me donnera-t-elle l'adresse de Ludmillia ?

— Parce que tu songes à lui écrire après ce qu'elle t'a fait ? gronda ma mère, les poings sur les hanches.

Tourne la page, mon garçon ! Il ne manque pas de jolies filles à Vienne qui te feront oublier cette... cette... ingrate !

— Le mot est mal choisi.

— Remplace-le par écervelée ou par volage ! rectifia-t-elle en haussant les épaules. Enfin, Eric, reprends-toi ! Passe que ce mariage t'ait porté un coup ! Passe encore que tu y songes quand tu reviens ici ! Mais il n'est que de voir ta mine. Tu as l'air d'un chat écorché et ce n'est pas ton travail qui te met dans cet état.

— Non.

Je lui faisais pitié. Elle était pourtant fière de moi, si fière qu'elle achetait le journal uniquement pour y repérer ma signature et la montrer à ses voisins.

— Si tu veux son adresse, demande-la au baron Oscar, finit-elle par me conseiller. Pourquoi toutes ces complications ?

— Parce que le baron a refusé de me la donner.

— Il a raison. A quoi te servirait d'importuner cette jeune femme ? Son mari pourrait en prendre ombrage. Elle a choisi. Respecte sa volonté.

— Sait-on seulement si elle est heureuse ? explosai-je. Quelqu'un se préoccupe-t-il de son sort en dehors de moi ? Je n'en dors pas de la nuit, et quand il m'arrive de sombrer à l'aube dans le sommeil, c'est pour rêver qu'elle m'appelle au secours. Je t'assure que j'entends si nettement sa voix que je me réveille le front en sueur, tout tremblant d'appréhension. Je ne peux plus continuer ainsi. Je crois qu'il en va de mon équilibre mental. Seul mon travail a le pouvoir de m'arracher à mon obsession. Les jolies filles de Vienne ? Je ne les vois même pas ! J'ai acheté une carte de l'Ecosse et de nombreux livres qui décrivent ce pays que l'on dit si beau. Je m'efforce d'apprendre le nom des villes et des villages où elle pourrait habiter. Marion ne refusera pas de me donner son adresse, en souvenir du bon vieux temps. Comment n'ai-je pas songé plus tôt à elle ? Sans doute parce que, craignant de revoir les lieux où Ludmillia et moi nous nous sommes tant aimés, je suis demeuré loin d'Heiligenblut pendant de longs mois.

— Au risque de chagriner tes parents, garnement ! Ah ! tu imaginais peut-être que nous n'avions pas compris ?

Je posai un baiser sur ses joues vergetées dans un élan de reconnaissance, d'affection, qui l'émut aux larmes.

— Sans la sérénité, fiston, personne n'est heureux, reconnut-elle. Et tant que tu n'es pas en paix avec toi-même...

Elle avait raison : je ne l'étais pas. Persuadé d'avoir commis une faute qui avait déçu ou découragé ma bien-aimée, je m'interrogeais. Avais-je manqué d'audace en refusant de lui apprendre les gestes de l'amour ? Avait-elle cru que je ne l'aimais pas suffisamment ? Cette hypothèse était venue m'effleurer, puis je l'avais rayée de mon esprit. Non, Ludmillia ne possédait rien de ces jeunes filles averties ou curieuses de l'être, et je me félicitais de l'avoir respectée, bien que tout le monde au village fût persuadé du contraire. N'étions-nous pas toujours ensemble ? On nous taquinait, bien sûr, mais c'était sans méchanceté, persuadé que tôt ou tard « ces deux-là obtiendraient le consentement du baron ».

— Quand la petite atteindra sa majorité, il ne pourra pas moins faire, disait-on, d'autant qu'elle rentrera alors en possession de tous ses biens.

Ludmillia était partie en voyage le 10 octobre. Le 20, elle avait eu ses dix-huit ans...

Ayant appris le nom de famille de Marion : Reiner, je rentrai à la maison, pour, fébrilement, consulter l'annuaire du téléphone.

Les maisons de retraite ne pullulaient pas dans la région. Je n'en découvris que quatre. Aucune n'avait une pensionnaire de ce nom-là.

Découragé, je descendis de ma chambre seulement vers sept heures du soir. A ma grande surprise, j'entendis un bruit de voix dans le hall et le rire généreux de ma mère, toute pimpante dans sa plus belle robe. Le tablier brodé typiquement tyrolien qu'elle avait noué autour de sa taille lui donnait l'allure d'une jeune fille. Elle avait relevé ses cheveux en chignon et s'était mis un peu de rouge aux lèvres. Ses yeux brillaient sous les compliments que lui adressait un homme d'une cinquantaine d'années, grand et mince, encore vêtu d'un pardessus de voyage. Me voyant figé sur l'avant-dernière marche de l'escalier, elle me lança un « Approche, Eric ! » engageant. Quant à mon père, il remontait de la cave avec en main une de ses meilleures bouteilles. L'inconnu et ses hôtes paraissaient d'excellente humeur, je le constatai sans jalousie, toutefois incapable quant à moi de me mettre aussitôt dans l'ambiance, bien que l'auteur de mes jours m'eût pris tendrement par le bras.

— Est-ce que vous vous souvenez de mon fils, Sir Herbert ? Il y a si longtemps que vous n'êtes pas venu à Heiligenblut... Cinq ans ? Sept ans ?

— Dix ans, je crois, rectifia l'arrivant en me serrant vigoureusement la main. Comment allez-vous, jeune homme ?

Son regard d'un gris d'acier était sympathique, comme l'ensemble de sa personne, du reste. Je me souvenais de cet Anglais richissime qui exerçait la profession d'écrivain. Ses romans « à suspense » étaient traduits dans toutes les langues. Peut-être pourrais-je l'interviewer pour mon journal ? Il ne fallait pas laisser passer une aussi belle occasion... Ce fut donc sans effort que je répondis au sourire d'Herbert Smith par quelques mots aimables.

— Vous êtes pour longtemps dans la région, Sir Herbert ? questionna ma mère qui avait insisté pour garder le romancier à dîner et lui avait même préparé une chambre. Vous serez mieux qu'à l'hôtel !

Ce à quoi il avait répliqué :

— Je vous remercie de votre hospitalité, chère amie. (Puis, enchaînant :) Hélas ! non. Je reprendrai la route dès demain en direction de Paris où mes affaires m'appellent et mon éditeur en particulier. Je suis en retard dans mon travail, mais j'ai glané en Autriche de nouveaux éléments susceptibles de favoriser mon inspiration. Ainsi, vous êtes devenu journaliste, Eric ?... Vous me permettez d'employer votre prénom ? Vous n'étiez encore qu'un gamin, il y a dix ans !

La conversation était lancée. Jusqu'à minuit, heure à laquelle le voyageur se retira, il n'y eut ni temps mort ni gêne, tant il est vrai qu'une véritable amitié résiste à l'absence.

Avant de se coucher à son tour, ma mère vint frapper à ma porte. Familièrement, elle prit place sur le lit, et, tout épanouie :

— N'est-ce pas qu'il est gentil ? Et pas snob pour un sou ! C'est à lui que tu devrais demander conseil, Eric.

— A quel sujet ? m'étonnai-je.

— Pour Ludmillia, voyons. Et pour Marion. Il pourrait t'aider à trouver leurs adresses. Tout le monde apprécie son talent d'écrivain, mais peu de gens connaissent son violon d'Ingres : les enquêtes. Il en a mené de fameuses, damant le pion à la police elle-même ! Fais-lui part de tes soucis, de tes craintes...

— A quoi penses-tu, maman ? Les amoureux éconduits provoquent l'hilarité. Je n'ai pas envie qu'il se moque de moi. Je perdrais le peu de prestige que j'ai acquis à ses yeux par le fait que je travaille dans l'un des plus grands quotidiens viennois, si je lui comptais mes déboires dans le domaine sentimental. D'ailleurs, il n'y a qu'à le regarder, lui. Voilà un homme sans complexe que les femmes adorent probablement. Quelle allure ! Et avec ça, que d'esprit ! Non, je me débrouillerai seul.

— Tu as tort, Eric.

— Peut-être, mais c'est mon dernier mot.

A l'aube, sans avoir revu Herbert Smith et renonçant à l'interview dont je m'étais fait une joie, je pris la route de Vienne. Dans les jours qui suivirent, je m'efforçai d'élargir mes investigations. Ayant soigneusement établi une liste des établissements susceptibles d'accueillir des personnes âgées, je les appelai à tour de rôle. Sans succès. Marion s'était peut-être installée dans une pension de famille ? Mais comment dénombrer toutes celles qui existaient en Autriche ?

Contraint d'abandonner ma première idée, je crus en avoir une meilleure. S'adresser au cousin de Ludmillia serait beaucoup plus simple. Dès le lendemain, sous prétexte d'un reportage sur le festival de musique qui se tenait à Salzbourg, je me rendis dans la ville natale de Mozart. Christopher von Bremer avait la réputation d'y mener joyeuse vie, en célibataire endurci qu'il était. Le baron Oscar et Ludmillia elle-même ne l'avaient jamais beaucoup apprécié. Personnellement je le trouvais d'une suffisance déplaisante, encore qu'il eût toujours manifesté à mon égard une certaine complicité.

— Le bel amoureux de ma tendre cousine ! se plaisait-il à dire avec un clin d'œil de connivence.

Je me présentai chez lui en fin de matinée. Le jeune homme me reçut en robe de chambre de cachemire. Dans l'échancrure du col bouffait un foulard de soie assorti. Il avait des poches sous les yeux, les cheveux en bataille, une barbe naissante salissait ses joues, mais il ne manquait pas d'allure pour autant. Il étouffa un bâillement en se laissant tomber dans un fauteuil après m'en avoir désigné un.

— Excusez-moi, mais je n'ai pas les idées très nettes, ce matin. J'espère que vous les aurez pour deux... Oh ! mais à la réflexion, vous en faites une tête, mon cher Eric ! Auriez-vous été mis à la porte de votre journal ? Si vous êtes à court d'argent et que vous comptiez sur moi, vous ne pouvez plus mal tomber. J'ai contracté des dettes et je n'ai pas le traître sou pour les rembourser !

Il avait la langue pâteuse due à un abus d'alcool et à des nuits de veille. Sans se préoccuper de l'œil critique avec lequel je le regardais, Christopher déboucha d'une main qui tremblait une bouteille de schnaps et s'en versa une large rasade en portant un toast à la « dynastie des Bremer » :

— Dont Ludmillia et moi sommes les derniers descendants ! ajouta-t-il avec un rire cynique et désabusé. Ne baissez pas les yeux, vieux frère ! Vous êtes vertueux et roturier. Je suis noble et fauché. Voilà qui fait une bonne moyenne ! Je suis d'une race qui est appelée à disparaître. Je suppose que personne ne s'en plaindra...

Le verre tremblait entre ses mains fines et longues. N'eût été l'hôtel particulier surchargé de dorures tarabiscotées, meublé dans le style de la Hofburg, où il se réfugiait quand il ne faisait pas tous les tripots de la ville, von Bremer aurait pu passer pour un poète exalté ou un peintre surréaliste, avec ses cheveux longs et son visage émacié. Il n'était point sympathique, mais j'éprouvais de la pitié pour lui. Il enchaîna d'une voix sombre :

— J'ai écrit à l'oncle Oscar en l'enjoignant de parer au plus pressé. Le mandat n'est toujours pas arrivé. Il ne saurait tarder, n'est-ce pas ? C'est du moins ce que vous pensez... Eh bien ! détrompez-vous. Je n'ai pas reçu la moindre réponse. Il m'ignore, le cher homme. C'est ce qui pouvait m'arriver de pire, je l'avoue.

Il leva de nouveau son verre. Je stoppai son geste :

— Vous ne trouverez pas un remède à vos difficultés financières dans ce grossier palliatif. Si vous promettiez à Ludmillia de vous amender, elle ne refuserait certainement pas de vous aider... Son époux doit être riche, et comme elle l'est elle-même à présent... Pourquoi ne lui écrivez-vous pas ?

Christopher leva un sourcil.

— Encore faudrait-il que je sache comment la joindre...

— Alors, vous aussi ! m'exclamai-je en me levant d'un bond, incapable de tenir en place.

— Moi aussi quoi ?

— Vous aussi, vous ignorez ce qu'elle est devenue ?

— N'exagérons rien... Je sais que sa demeure est située dans le comté d'Inverness. On ne m'en a pas dit plus ; j'ai été poliment prié de la laisser tranquille sous peine de voir ma petite pension s'évanouir en fumée. Son mari ne badine pas avec l'honneur. Un bel homme ce Carl-Gustav à ce qu'il paraît, tout à fait digne des traditions anglaises.

— Je le croyais d'origine allemande.

— Oui, par sa mère. Il a pris en main la fortune de Ludmillia et la gérera avec compétence et... parcimonie ! comme tout bon Highlander qui se respecte. Comprenez que dans ce contexte familial parfaitement organisé, je fais figure de bête curieuse. Christopher le débauché, c'est bien moi, merci !

— Vous ne manquez pas d'orgueil, Chris, reconnus-je en secouant la tête avec commisération.

— Tandis que vous-même en êtes parfaitement dépourvu ?

— Oui, quand il s'agit de sauver mon bonheur. Je n'ai pas renoncé à votre cousine, aussi extravagant que cela puisse paraître.

— Vous êtes fou, vraiment !

Il protestait, mais ses yeux riaient. Peut-être entrevoyait-il ce qu'il pourrait tirer d'un garçon prêt à tout pour approcher l'objet de ses désirs. S'il favorisait cette entrevue, est-ce qu'en retour je ne plaiderais pas en sa faveur ? Grâce à moi, ce qu'il ne pouvait soutirer à l'oncle Oscar, il l'obtiendrait de la jeune femme.

Je secouai la tête.

— Je suppose que Carl-Gustav... Carl-Gustav comment ? au fait...

— Whiteley.

— ... habite une demeure historique, comme la plupart de celles qui jalonnent les paysages écossais, pour peu qu'il ait hérité d'un titre de laird, ce qui me paraît être le cas, si j'en juge à la jubilation de votre oncle. Ne m'a-t-il pas affirmé que Ludmillia ne se serait pas mésalliée ?

Une pointe d'amertume et de jalousie perçait dans cette dernière phrase. Christopher von Bremer, qui se targuait d'avoir des idées avancées, s'écria :

— Laird, baron, vicomte ! Est-ce que cela a encore de l'importance de nos jours ? Je préférerais avoir un solide compte en banque plutôt que d'être titré...

— Mais lorsqu'on a les deux ?

— Alors là, évidemment...

Il rit de nouveau.

— Que ces considérations ne vous découragent pas, mon cher Eric. Avez-vous quelques économies ? Disposez-vous de deux semaines ? Si oui, allez en Ecosse.

J'acquiesçai.

— Je suis sur le point de prendre mes vacances, et quant à l'argent, je sais me restreindre quand il le faut. Coucher à la belle étoile, me contenter d'un sandwich ne me font pas peur.

— Les nuits sont fraîches en cette saison. Si vous n'avez pas les moyens d'aller à l'hôtel, n'hésitez pas à loger chez l'habitant. Là-bas, l'hospitalité est sacrée. En achetant sur place un bon guide, vous ne tarderez pas à découvrir Whiteley Castle, j'en suis persuadé. Etes-vous rassuré ?

— Tout cela est encore bien vague..., soupirai-je. (Mais au fond je débordais d'allégresse, prêt à tenter l'aventure.) Pourquoi ne viendriez-vous pas avec moi ?

Pour toute réponse, Christopher regarda autour de lui avec désespoir. Renoncer à son confort lui coûtait. Cependant, ses créanciers se faisaient pressants...

— Ils sont certes à eux seuls beaucoup plus redoutables que le monstre du loch Ness ! s'exclama-t-il. Changer d'air ne pourrait que m'être profitable... (Il se tut quelques instants puis reprit :) Pourquoi cette initiative, Eric ? Jusque-là, vous ne paraissiez pas me porter dans votre cœur.

— Je vous connaissais mal...

— D'autant que mon oncle s'acharnait à détruire ma réputation auprès de Ludmillia... Diviser pour régner, telle a toujours été sa devise. Maintenant, Oscar n'est plus qu'une sorte de dictateur déchu. En se mariant sans son assentiment, Ludmillia a définitivement échappé à son contrôle. J'aurais voulu le voir le soir où elle lui a téléphoné ! Il devait être vert de rage !

— Ce n'est pas l'impression qu'il m'a donnée par la suite.

Christopher eut un geste vague de la main.

— Dans notre famille, on ne se donne pas en spectacle. Ai-je tellement l'air, moi, d'être aux abois ?

Je n'osai pas lui proposer de lui avancer quelques subsides. S'il venait en Ecosse, il faudrait bien qu'il payât son passage à bord du Boeing. Mieux valait que les choses fussent claires dès à présent.

— Je devine vos pensées..., lança von Bremer avec désinvolture. Quand voulez-vous partir ?

— Dimanche... Le temps de réserver les places...

— Parfait. D'ici là, je me serai procuré l'argent du voyage. Une de mes bonnes amies ne refusera pas de me renflouer.

« Les préjugés ne l'étouffent guère ! », constatai-je en me demandant pourquoi je m'embarrassais de ce dépravé. Me sentais-je si seul que j'éprouvais le besoin d'une telle compagnie ?

Les jours suivants, je me préparai dans la fièvre. Nous nous étions donné rendez-vous à l'aéroport de Vienne. Eh bien ! Christopher avait déjà fait enregistrer ses bagages quand je présentai les miens à la pesée. Un sourire ironique fleurit sur ses lèvres.

— Vous aviez très peur que je ne sois pas là, hein ?

Je haussai les épaules.

— Je serais parti sans vous, voilà tout.

— Toujours aussi persuadé que Ludmillia vous accueillera les bras ouverts ?

Ma bouche se contracta violemment. C'était un des points auxquels j'évitais de penser, mais les rêves que je faisais à ce sujet n'étaient guère encourageants. Je voyais la jeune femme tout en haut d'un escalier monumental pointer sur moi un doigt vengeur en intimant à ses domestiques de me jeter dehors. Aussitôt on s'emparait de moi, sans me permettre de me justifier. Quant au décor qui servait de cadre à cette scène pathétique, c'était celui d'une forteresse rébarbative (comme j'avais entendu dire qu'il en existait en Ecosse), que les derniers feux du couchant embrasaient de façon si spectaculaire qu'elle semblait prendre feu. Ludmillia poussait un grand cri et disparaissait parmi les flammes. Alors je me réveillais en sursaut, trempé de sueur, le cœur battant la chamade.

Aucun bon présage n'émanait de ces images enchevêtrées, mais quand le jour revenait, je me moquais de mes craintes et plus que jamais je voulais aller voir ce qu'il en était « exactement ».

II

Le Boeing se posa à l'aéroport d'Edimbourg avec quinze minutes de retard dues aux conditions atmosphériques qui régnaient au-dessus de la mer du Nord : un brouillard dense, plus épais encore près de la côte.

Les trous d'air ajoutés aux nombreux bourbons absorbés pendant la traversée avaient transformé Christopher en loque gémissante. Il se précipita aux toilettes, pendant que je me morfondais dans le hall.

Après avoir loué une voiture, nous choisîmes de passer notre première nuit écossaise dans une auberge de Linlithgow, afin d'admirer le château où naquit Marie Stuart. Le guide, acheté à Vienne, racontait brièvement la vie de cette malheureuse souveraine qu'un sort injuste allait conduire tout droit dans les rets de la reine d'Angleterre et amener au bourreau.

Christopher se déclara passionné d'Histoire. Je fus heureux de le voir s'animer un peu, maintenant que les effets de l'alcool se dissipaient, et je me promis de veiller à ce qu'il ne s'adonnât plus à son fâcheux penchant.

Hélas ! lorsque nous eûmes fini de dîner, le cousin de Ludmillia commanda un scotch. Je protestai :

— Oubliez-vous qu'il y a à peine quelques heures, vous étiez malade comme un chien ?

— Un verre n'a jamais fait de mal à personne.

— Un verre, peut-être, mais vous n'en resterez pas là !

— Je ne suis vraiment moi-même qu'avec de l'alcool dans le sang. Dites que c'est une drogue, appelez ça comme vous voulez. Il faudra vous y faire.

A quoi bon discuter ? Je partis me coucher, laissant mon compatriote s'installer au bar. Je ne dormirais probablement pas de la nuit, mais j'avais besoin de repos, besoin aussi de réfléchir. L'itinéraire établi pour le lendemain devait nous conduire à Oban. C'était, nous avait-on dit, la porte des Highlands. Je prévoyais de suivre le loch Linnhe jusqu'à Fort William, puis d'atteindre le loch Ness et Inverness, après avoir longé le loch Lochy. A Oban, j'espérais me procurer une documentation susceptible de me fournir une liste complète des châteaux de la région. D'après les affirmations de Christopher, Whiteley Castle devait se trouver quelque part entre le pied du Sgûrr na Ciche et l'estuaire de la Beauly. Il ne serait certainement pas difficile de le découvrir si... s'il comptait parmi les demeures ayant connu à une quelconque période de l'Histoire une certaine renommée. Je priai pour qu'il en soit ainsi. Nous n'avions que dix jours devant nous pour mener notre tâche à bien, et encore devait-on exclure une journée pour le voyage de retour.

Un soupir m'échappa. Jamais je n'avais été aussi tendu, oppressé même. Tant d'idées pessimistes me passaient par la tête ! Dans l'embrasure de ma fenêtre de chambre, ouverte sur la nuit, s'encadrait la silhouette plus sombre de Linlithgow.

J'espérais que Whiteley Castle ne ressemblerait pas à cette vaste bâtisse trop austère pour mon goût, puis je me dis que si Ludmillia s'y ennuyait, elle serait heureuse de me voir. Au fond, je tablais uniquement sur les regrets éventuels de la jeune femme, sur son déchantement. Il était impossible qu'elle se plût en ce pays. Ce que je savais de la sauvage beauté des Highlands ne modifiait pas mon jugement. Heiligenblut ne pouvait s'être totalement effacé de sa mémoire, pas plus que la majesté du Grossglockner, le faste de Schönbrunn, le charme de la Gloriette et des jardins du Belvédère, l'ambiance du Prater et celle tout aussi bon enfant des guinguettes de Grinzing où nous nous grisions de musique et de vin...

Le passé était si présent à ma mémoire que je me surpris à serrer les mâchoires convulsivement.

L'aube vint. Dans la chambre à côté, Christopher ronflait. Je le réveillai sans ménagement.

— Nous avons une longue route devant nous.

Il pesta, puis se précipita sous la douche en spécifiant :

— Commandez-moi un solide breakfast, je meurs de faim !

Ce à quoi je répliquai qu'il était beaucoup trop tôt pour exiger quoi que ce fût de l'aubergiste.

— Vous serez bien obligé de l'appeler pour régler l'addition !

— Je m'en suis chargé hier soir. J'espère que vous avez quant à vous payé vos consommations ?

— Oui... oui... bien sûr.

— Alors, pressez-vous. Je vous attends dans la voiture.

Christopher grommela de nouveau, mais il obtempéra à mes recommandations. Si bien que nous nous retrouvâmes à Oban dans le courant de la matinée.

— Vous voyez, nous n'avions pas besoin de nous lever de si bonne heure ! (Il avait, proclamait-il, l'estomac dans les talons.) Vous, alors, ce que vous pouvez être excité !

— Pensez à la confortable pension que vous tirerez de Ludmillia, cela vous aidera à voir les choses sous un jour plus gai.

Cette simple réplique eut le don de le calmer.

S'il réussissait à attendrir sa cousine, il pourrait envoyer l'oncle Oscar au diable.

Après tout, ses intérêts étaient en jeu, « le petit Lund » avait raison. S'il continuait de me traiter avec condescendance, d'abord parce qu'il avait dix ans de plus que moi et que nous n'étions pas du même monde, il admirait mon esprit de décision et ma persévérance.

— Je ne connais pas Carl-Gustav Whiteley, me dit-il, mais Ludmillia n'aurait pas été malheureuse avec vous. Vous êtes un brave type.

Seulement, est-ce que cela suffisait ? Une position sociale et le souci d'une lignée avaient sans doute primé aux yeux de la jeune femme.

— Ne vous faites pas trop d'illusions, me dit-il encore tandis que je demandais à un policeman de m'indiquer le chemin du Syndicat d'initiative.

Les brochures que j'en rapportai quelque vingt minutes plus tard m'avaient mis de si bonne humeur que j'acceptai d'arrêter la voiture devant un pub.

— Prenez-le, ce petit déjeuner tant attendu !

— Pas vous ?

— Un café me suffira.

Pendant que von Bremer ingurgitait des œufs au bacon et une montagne de bannochs croustillants [1], j'étalai les dépliants devant moi. J'étais si certain d'y découvrir le nom de Whiteley Castle qu'un sourire d'extase transformait mes traits pâles. L'acharnement avec lequel j'avais conduit mes études avaient légèrement voûté mes épaules. Ma démarche était dégingandée, mes mains fines et nerveuses ; des lunettes cerclaient mon regard d'un bleu de ciel. Clairsemée était ma chevelure blonde. Quelque chose d'enfantin marquait mon visage que démentait la ligne ferme de la bouche. Je ne possédais rien d'un bourreau des cœurs, et de fait, il n'y avait jamais eu que Ludmillia dans ma vie.

Et voilà que von Bremer se mettait à regretter que sa cousine se fût mariée de cette façon, sans même faire part de son choix aux membres de la famille. Si on lui avait demandé son avis, il s'y serait opposé le premier. Car, il osa me l'avouer, malgré leur proche parenté, une union avec Ludmillia ne lui aurait pas

---

1. Galettes faites avec de la farine d'avoine.

déplu. Riche, intelligente, jolie... Qu'aurait-il pu espérer de mieux ? Il se demanda sûrement si j'avais moi aussi convoité la coquette fortune que la jeune fille représentait, ou si je m'en étais tenu à son frais minois et à notre idylle d'adolescents. Il n'eut qu'à me regarder dans les yeux pour être certain de mon désintéressement.

— Vous êtes un pur, un utopiste..., me dit-il en repoussant son assiette. Je voudrais avoir votre enthousiasme. Ce doit être beau de ne pas perdre la candeur de l'enfance. Mais hélas ! où cela vous mènera-t-il ?

— A Whiteley Castle, bien entendu.

Cependant, le sourire s'effaçait de mon visage. Aucun dépliant ne mentionnait ce nom-là. Une carte détaillée de la région me fit perdre également mon temps. Le Great Glen de Glen More ne semblait posséder qu'un château : Castle Urquhart, élevé sous Jacques IV au XVe siècle.

— Vous a-t-on réellement dit : dans le comté d'Inverness, Chris ? questionnai-je d'une voix sourde. L'oncle Oscar n'aurait-il pas déformé la vérité ?

— Pourquoi l'aurait-il fait ?

— Je ne sais pas, mais il ne doit pas être difficile de lui trouver un mobile...

— A commencer par son inimitié pour moi ! Ce vieil hibou est capable des pires bassesses. Il n'est que de voir la manière dont il me traite. Croirait-on que nous sommes du même sang ?

Les sourcils froncés, je laissai la question en suspens.

Puis il me vint à l'idée que le manoir des Whiteley pouvait porter un autre nom que celui de son propriétaire.

— Dans ce cas, ne vaudrait-il pas mieux consulter, plutôt qu'une carte, les annuaires du téléphone ?

— Voilà qui promet d'être réjouissant ! s'exclama Christopher qui se voyait déjà passer des heures à la poste au lieu de parcourir les paysages grandioses dont nous avions eu un aperçu au col du Brander.

Je le rappelai à l'ordre :

— Nous ne sommes pas venus là en touristes.

— Il n'est pas défendu d'admirer au passage ! Allons, souriez ! Je propose d'aller prendre un « high tea » à Fort William, avec pour toile de fond la silhouette imposante du Ben Nevis presque toujours enneigé. Ensuite, nous irons tranquillement coucher à Inverness, après avoir salué Nessie de loin... D'accord ?

Le nom familier que l'on donne au monstre du loch Ness me fit sourire. Le réaliste que j'étais, quand je ne rêvais pas de mon ex-fiancée, ne trouva rien à redire au programme.

D'Inverness, il nous serait facile d'excursionner dans la vallée du loch, d'interroger les gens dont nous aurions repéré les adresses dans l'annuaire. Il devait y avoir moins de Whiteley en Ecosse que de Durand en France.

Ce fut avec cet espoir que nous quittâmes Oban peu après. Tandis que von Bremer chantait à tue-tête de vieilles chansons à boire — de quoi lui faire regretter de ne pas avoir un verre en main ! — peu à peu, je me détendais au volant. Etait-il possible qu'au-delà de ces monts verdoyants, des forêts que l'automne embrasait, de ces moors pomponnés de bruyères aux couleurs d'améthystes, quelque part, peut-être ici... peut-être là-bas... vivait Ludmillia ?

Je ne sentais pas sa présence, pas encore... Je ne percevais pas son appel dans le murmure du vent ni ne retrouvais son parfum dans l'air salé du loch Linnhe, en communication directe avec l'océan.

Ce n'était pas son rire cristallin que répétait l'oiseau moqueur en s'élançant vers le ciel... Où était-elle, mon Dieu ?

Le ronron du moteur avait fini par endormir Christopher. Je dus lutter à mon tour contre un sommeil inattendu en ce début d'après-midi maussade. Le temps, en effet, avait changé. Il pleuvait quand nous dépassâmes Fort William où je jugeai qu'il était inutile de s'arrêter. La nuit tombe vite en cette saison. Mieux valait gagner Inverness au plus tôt, se trouver un hôtel-pension à un prix modéré. Loger chez l'habitant ? J'avais longuement réfléchi à cette question. La crainte de n'être point assez libre me ferait envisager cette solution en dernier recours.

Christopher se réveilla au moment où la voiture longeait le loch Ness, que la brume encerclait pour s'y blottir à l'aise. On avait peine à croire que ce rideau opaque pouvait se lever, mais au premier regard on comprenait que tant de légendes fussent nées en ce lieu. Des formes étranges prenaient corps sur la rive. Le vent d'automne les chassait comme il arrachait la dernière feuille à la branche frileuse. La route serpentait en bordure de terrains nus où l'on aurait aimé tirer quelque grouse. Il faisait froid. L'humidité de l'air nous pénétrait jusqu'aux os.

Nous avions soif d'une tasse de thé. Je commençais à ressentir des tiraillements d'estomac. Depuis la veille je n'avais rien absorbé de consistant et ce ne pouvait être qu'au détriment de ma santé. Je me promis de me montrer raisonnable désormais, même si mon amour se nourrissait de chimères...

A dix miles de là, nous découvrîmes une auberge dont l'enseigne se balançait en grinçant au bout de sa hampe rouillée. La pierre de taille la rendait plus sévère qu'accueillante. Jusqu'à son nom, « Moor's inn », auberge de la lande, qui sonnât d'une façon rude. Il y avait une vieille guimbarde devant la porte et un colley qui, le museau entre les pattes, nous regardait d'un air interrogateur, plus surpris que joyeux.

— Les clients doivent être rares, grommela Christopher en étirant ses grandes jambes. Quelle idée de s'arrêter ici !

Sans répondre, je sortis à mon tour de la Morris. A deux pas de là, l'eau clapotait contre la rive.

— Où serions-nous mieux qu'au bord du loch ? répliquai-je enfin. Entrons, voulez-vous ?

La chaîne qui retenait le chien l'empêchait de venir jusqu'à nous. J'allai le flatter, tandis que mon compagnon ouvrait la porte.

La pièce où nous nous hasardâmes était petite et sentait le renfermé, mais il y avait un bon feu de tourbe dans la cheminée rustique. Des pots de cuivre étincelants ornaient le linteau ; une nappe fleurie égayait les quatre tables près desquelles s'alignaient des bancs de bois. Dans un coin, un vaisselier servait aussi de desserte. Des pommes rouges, une miche de pain y trônaient.

On entendit un bruit de parquet qui grince et une vieille femme parut. Tout de noir vêtue, elle était édentée et plus ridée que ses pommes. Elle dit quelques mots que Christopher ne comprit pas. Je réussis à engager la conversation. Oui, nous pouvions demeurer à « Moor's inn ».

Elle avait deux petites chambres à nous offrir et elle servait le dîner à vingt heures. D'un geste, elle nous invita à la suivre. L'escalier de bois à la rampe luisante était raide et étroit. Sur le palier, on n'y voyait goutte, mais la petite vieille s'y dirigeait sans hésitation.

— Elle me fait penser à une belette ! s'exclama irrévérencieusement Christopher. Nous n'allons pas vivre dans ce trou, tout de même !

— Avons-nous les moyens d'aller dans un palace ?

— Entre un palace et cette... cette... masure...

— Parlez allemand, je vous prie. Notre hôtesse n'est point sourde.

— Bah ! j'ai l'impression que mon anglais lui est parfaitement étranger !

— Dans les Highlands, beaucoup de vieilles gens ne parlent que le gaélique. L'essentiel est que nous ayons pu nous faire comprendre.

Les chambres étaient à la mesure du reste de la demeure. Pas de lavabo, mais un simple broc d'eau avec un plat. La faïence ancienne était jolie. Elle aurait fait la joie d'un collectionneur. Un grand rire secouait à présent Christopher.

— Imaginez-vous ce qui diraient mes amis s'ils me voyaient dans ce décor, moi, un von Bremer !

Je pinçai les lèvres.

— Si vraiment vous souhaitez que nous allions ailleurs...

— Mais non ! A la guerre comme à la guerre ! Il vaut peut-être mieux, en effet, que nous fassions des économies, au cas où notre Ludmillia se serait transformée en fantôme ! On peut s'attendre à tout dans ce sacré pays !

Il vit que je n'appréciais guère sa plaisanterie. Je pouvais être un jeune homme charmant, à condition de ne point entendre parler de ma bien-aimée sur un mode moqueur.

— Si c'est ça l'amour, que je ne m'y laisse point prendre surtout ! s'exclama-t-il.

Le danger était peu grand. Christopher se savait incapable d'éprouver un grand sentiment. Au fond, rien ne le touchait, si ce n'était la peur de manquer d'argent.

— Nous sommes à une vingtaine de kilomètres d'Inverness. Demain matin à la première heure, nous nous rendrons à la poste. Pour ce soir, nous en avons fini. Si le brouillard consentait à s'estomper, nous pourrions aller faire un tour au bord du loch.

— La pluie s'est transformée en bruine. Non, merci.

Von Bremer s'était allongé sur le lit à l'édredon volumineux. Je lui demandai de venir m'aider à transporter les bagages. J'étais très satisfait d'avoir trouvé à me loger. Naturellement, peu avant le dîner, tandis que la vieille femme vaquait dans la salle à manger, je me décidai à poser la question qui me tenait à cœur. Connaissait-elle des gens ou un lieu-dit du nom de Whiteley ?

— Non, dit-elle, non.

Mais il me sembla qu'elle avait tressailli.

— Whiteley, répétai-je. Carl-Gustav Whiteley... Essayez de vous souvenir, grand-mère. N'avez-vous jamais entendu prononcer ce nom ?

Elle secoua la tête avec une expression d'hébétude dans les yeux.

— A-t-elle seulement compris ce que vous lui demandez ? questionna Christopher qui venait d'assister à l'entretien.

— J'en suis sûr. Et à mon avis, elle sait quelque chose...

— Pourquoi se tairait-elle ? Je crois que vous faites un drame de tout.

Je reconnus le bien-fondé de cette observation. Ma fâcheuse tendance à rendre ténébreux ce qui ne l'était probablement pas ne servirait qu'à nous induire en erreur.

Dans les annuaires du téléphone que nous consultâmes le lendemain, nous découvrîmes deux Whiteley à Inverness et trois disséminés dans la vallée du loch Ness.

Je jubilais. Nous en viendrions à bout très vite.

— Devons-nous téléphoner ?

— Je suis d'avis d'aller sur place.

Mon compagnon approuva. La perspective d'un bon déjeuner dans la capitale des Highlands primait l'intérêt qu'il portait à l'affaire. Le dîner frugal à l'auberge de la lande et le breakfast plus misérable encore l'avaient laissé sur sa faim.

— C'est fou ce que vous pouvez manger ! lui dis-je, rassasié quant à moi après avoir avalé deux bouchées.

— Il ne faut pas se laisser abattre, vieux frère ! Etes-vous certain que Ludmillia ne fera pas la moue en vous voyant le visage hâve, les yeux cernés ? Elle garde de vous l'image d'un jeune homme gai et dynamique.

— Je n'ai rien perdu de mon entrain.

— Non, mais qu'est devenu votre enjouement ?

J'éludai :

— Avez-vous fini ? Pouvons-nous partir ?

— Est-ce bien l'heure de se présenter chez les gens ? Il n'est pas quatorze heures.

— Tant pis. Il faut que nous soyons fixés.

Nous n'allions pas tarder à l'être, en effet, mais pas dans le sens que nous espérions. A Inverness, les deux Whiteley repérés ne correspondaient nullement à ce que nous cherchions. Le premier, un certain Robert Whiteley était marchand en gros de grain et de céréales. S'il nous reçut avec jovialité, il ne put nous donner aucune indication.

— Je ne suis pas de la région, voyez-vous, ce qui fait que je n'ai aucun lien de parenté avec mes homonymes. Désolé...

Le second, un dentiste près de la retraite, était de plus célibataire. Il n'avait pas entendu parler d'un Carl-Gustav Whiteley et pas davantage d'un manoir du même nom.

— Etes-vous bien sûrs de l'orthographe du mot ?

Nous nous jetâmes un coup d'œil interrogateur. Cette simple réflexion remettait tout en question. En même temps que notre espoir renaissait surgissaient de nouvelles difficultés. Des noms aux consonances approximatives pullulaient dans les colonnes des annuaires consultés. Nous n'aurions ni le temps ni les moyens de mener à bien nos investigations dans ce domaine. Pour la première fois, je fis preuve à l'égard de mon compatriote d'une visible impatience.

— Je me suis fié à vous. Voyez où cela nous mène ! Enfin, vous devriez tout de même savoir le nom de votre cousine !

— Ne montez pas sur vos grands chevaux. J'affirme que c'est Whiteley.

— Ou Wortheley... Ou Whiseley, repris-je avec fureur. Vous n'êtes pas à cela près !

— Whiseley ? releva Christopher en haussant un sourcil. Est-ce qu'il n'y a pas un croisement de routes à proximité de Drumnadrochit qui...

— Whiseley Cross !

Je me rappelais avoir repéré cet embranchement la veille, peu de temps avant de découvrir notre auberge, face à Castle Urquhart. Ce n'étaient que deux chemins délimités par une croix qui s'enfonçaient dans les terres.

Il fut décidé d'abandonner pour l'instant les Whiteley repérés dans le Glen More pour se rendre à Whiseley-Cross que nous n'aurions aucune peine à retrouver.

Une fébrilité nouvelle nous habitait, tandis qu'en grande hâte nous quittions Inverness par la route A 82. Un timide soleil écartait les nuages qui s'amoncelaient à l'horizon.

— Demain nous aurons peut-être meilleur temps, proféra von Bremer pour dire quelque chose, car le silence entre nous devenait pesant.

Il n'avait pas voulu atténuer mon soudain enthousiasme, mais il n'était point assuré que Whiseley-Cross nous fournirait la clef de l'énigme. L'oncle Oscar avait pu déformer à dessein le nom d'épouse de Ludmillia.

— Etrange quand même ce mariage..., avoua-t-il. (Il finissait par ne plus voir les choses sous un angle très réjouissant.) Et si Ludmillia n'avait pas épousé quelqu'un d'aussi bien qu'on le dit ?

A la réflexion, c'était anormal que la jeune fille eût renoncé si facilement à ses habitudes, à sa vie sans problème dans la propriété familiale, à ses souvenirs.

— Elle paraissait pourtant vous aimer beaucoup. Je n'ai pas reçu une seule lettre d'elle depuis un an, continua-t-il, perplexe.

Il avait fallu qu'il vînt en Ecosse pour constater que tout était plutôt mystérieux dans cette histoire.

— Et si... si elle avait été enlevée ? suggéra-t-il timidement.

Le pressentiment d'un malheur l'effleurait au point de lui montrer l'aventure où nous nous étions engagés sous un jour funeste. Carl-Gustav Whiteley existait-il seulement ?

Il me lança, tout assombri :

— Allons à Whiseley-Cross si vous y tenez, mais je suis à peu près certain que nous n'y trouverons pas de manoir, pas plus que nous trouverons trace de ce mariage dans les fiches d'état civil d'Inverness ou d'ailleurs.

Le ton avec lequel il s'exprimait si contraire à ses habitudes, sa mine grave et soucieuse m'alarmèrent.

— Qu'êtes-vous en train de me dire ?

— Qu'il peut très bien s'agir d'une machination montée de toute pièce par l'oncle Oscar pour s'emparer de la fortune de Ludmillia.

Dans mes rêves les plus fous, je n'en avais jamais imaginé autant. Les supputations de Christopher m'avaient atteint de si violente façon que j'éprouvai le besoin d'abandonner quelques instants le volant. Mes mains tremblaient lorsque je coupai le moteur après m'être garé sur le bas côté de la route. Je descendis de voiture, aussitôt agressé par le vent qui déferlait sur la lande et couchait les hautes herbes. Un troupeau de moutons paissait non loin de là. Un chien veillait à ce qu'aucun d'eux ne s'éloignât, puis revenait auprès de son maître. L'homme était assis sur un rocher et regardait le loch aux eaux traîtresses. C'était peut-être cela le bonheur : une étendue de terre et d'eau, un ciel chargé d'or sur lequel passaient de lourds nuages noirs et un homme solitaire qui, lui, s'abstenait peut-être de penser...

Inquiet, Christopher n'osait m'arracher à ma contemplation. Passant une main sur son front, il crut bon d'ajouter :

— Rien ne prouve que j'aie raison. Je ne suis pas d'un naturel bilieux d'ordinaire. Pardonnez-moi... Je n'aurais pas dû, sans preuve, détruire vos espoirs.

— Vous ne les avez pas détruits, mais renforcés. Si Ludmillia n'a pas épousé cet inconnu, tout demeure possible. Je la sauverai, Chris.

— Comment ? Nous ne savons même pas où elle est !

— Allons à Whiseley-Cross.

Mon calme l'impressionna. Avec un adversaire de ma trempe, l'oncle Oscar n'avait qu'à bien se tenir. Ce gros porc malfaisant avait dû manigancer les choses depuis fort longtemps. A la réflexion, il serait intéressant de connaître l'état de ses finances.

— Je serai quant à moi heureux de l'acculer dans ses derniers retranchements ! grommela Christopher. C'est par la faute de cet homme que j'ai végété pendant tant d'années. Sans daigner seulement penser à l'honneur de notre nom, il aimait à me voir quémander ses faveurs ! Je jure qu'il me le paiera !

De nouveau, la voiture filait à travers les moors. Elle dépassa l'auberge où nous avions élu domicile et atteignit l'orée d'un bois.

— Ralentissez ! Je reconnais les lieux. La croix ne devrait pas être loin.

Nous la découvrîmes en bordure de route à l'intersection de deux chemins qui s'élançaient dans les terres. Des fleurs des champs avaient été piquées dans l'entrelacs de fer rouillé. La brise effilochait leurs pétales. A cinq yards de là était fiché un poteau portant un écriteau délavé par les intempéries. J'ajustai mes lunettes.

— Whiseley ! murmurai-je le cœur battant sans parvenir à me persuader que je serais peut-être déçu une fois encore. Whiseley-Hall ou Whiseley-House... Je lis mal. Il semble que nous soyons à la limite d'un domaine.

La direction qu'indiquait le poteau était d'autant plus difficile à définir qu'un tracteur l'avait à moitié renversé.

— Je vote pour le chemin qui conduit dans les terres.

— Et moi pour suivre la berge, dis-je.

Mon choix prévalut, en vertu du fait que je paraissais être le chef de l'expédition. Cahin-caha, la voiture s'engagea dans le sentier raviné que l'eau par endroit envahissait. Des corbeaux tournoyaient au-dessus de Castle Urquhart dont la grande ombre s'élance vers le ciel avec une majesté inégalée.

Leurs croassements déchiraient l'air. Ils exacerbaient mon impatience.

Plus que quiconque, je ressentais la magie sans cesse renouvelée de ces terres aux confins de la solitude et du silence que l'homme au cours des siècles a si peu transformées. Oui, si Ludmillia était retenue prisonnière, ce ne pouvait être que dans ces parages.

Je crus entendre son nom porté par le vent, mais ce

n'était que le soupir des vaguelettes contre une barque vermoulue amarrée à un pieu. La chaussée s'était tellement rétrécie que Christopher proposa de continuer à pied.

— Nous aurions dû prendre l'autre voie. Il se pourrait pourtant que toutes deux aboutissent au même endroit.

Sorbiers et chênes, saules élancés masquaient l'horizon immédiat, tandis que le loch devenait plus sombre encore. Je me retournai. Castle Urquhart avait disparu. J'en fus soulagé, comme si un autre château n'eût pu exister à proximité de ce manoir célèbre. Un carré de ciel bleu perdu au milieu des nuages se reflétait dans une flaque d'eau. Je songeai à tous les bleus du ciel d'Autriche, aux mélèzes roux et au clocher pointu d'Heiligenblut avec une tendresse particulière. Un pays tout aussi solitaire, et plus grandiose encore.

A présent, ronces et néfliers étroitement enlacés formaient une haie sur laquelle le sentier, à peu de distance de là, butait. Elle délimitait un boqueteau étalé jusqu'au faîte d'une petite colline.

Nous ne possédions rien pour nous frayer un passage dans les buissons, mais c'était bien le diable si nous ne découvrions pas une trouée que nous pourrions emprunter. La boue maculait les fines chaussures de Christopher et il était évident qu'il ne tenait pas à érafler le pardessus dont il était vêtu. Moi, je ne m'étais point embarrassé d'élégance. Un blouson, de hautes bottes de cuir, me donnaient un air de gentleman farmer.

Mon coéquipier bâilla sans retenue. Si l'appât du gain ne l'avait conduit à faire quelques sacrifices, il m'aurait volontiers abandonné, aussi convaincu qu'il fût du service qu'il pouvait rendre à sa cousine.

Une brèche se présenta bientôt. Maintenant, indifférents au chant des oiseaux et au craquement des brindilles sous nos pas, nous marchions dans l'intention de grimper au sommet de la colline.

Mon compagnon marmonna :

— Je n'aime pas assez la campagne en général pour apprécier cette promenade bucolique.

— Vous y êtes pourtant né !

— Non, mon cher. Je n'ai pas vu le jour au château de mes ancêtres, mais à Salzbourg, comme mon père. C'est probablement de lui que je tiens aussi mon goût pour le libertinage !

Il riait. J'étais sur le point de relever ses propos quand une exclamation m'échappa. Dans l'entrelacement des branches de sapins et de hêtres venait d'apparaître une sorte de pigeonnier, à moins que ce fût une tour ? Il pouvait s'agir d'une demeure...

Ivre d'une joie prématurée, je me mis à courir ; peu soucieux des basses branches qui me fouettaient au visage, je trébuchai sur une racine et me raccrochai à un chêne. La lumière glauque du sous-bois avait fait place à la semi-clarté d'un ciel toujours aussi gris dont était nimbée la clairière sur laquelle je débouchai.

— Nom d'un chien ! dit Chris.

Haletants, nous nous étions arrêtés net, car devant nous se dressait la demeure la plus étonnante que nous eussions jamais vue.

III

C'était un vaste bâtiment aux fenêtres aveugles, aux murs décrépis, flanqué d'une chapelle aux vitraux cassés que masquaient de monstrueuses toiles d'araignées.

A notre approche, des colombes s'envolèrent. Alors que sur les arbres alentour s'abattait une nuée d'étourneaux annonçant la fin du jour, un zeste de soleil fit briller la girouette au sommet de la tourelle en ruine, redonnant quelque vie à ces lieux oubliés.

— Y a-t-il quelqu'un ? criai-je en mettant mes mains en porte-voix, puis j'allai frapper à l'aide du heurtoir à la lourde porte bardée de fer.

— Vous voyez bien que cette demeure est abandonnée, intervint Christopher, intimidé. Il faudrait un ermite pour oser vivre ici.

Sans prêter attention aux propos de mon compagnon, j'en fis le tour, attentif aux moindres signes d'une présence. Il semblait bien en effet que les hauts murs couverts de vigne vierge n'abritassent plus personne depuis longtemps, si l'on en jugeait aux ravages exercés par les intempéries. Volets dégauchis aux ferrures rouillées offraient une moindre résistance.

Pénétrer dans la vieille demeure ? Un jeu d'enfants, et j'en avais une envie folle.

Christopher bâilla derrière sa main.

— Regardez ce soleil blanc. Un signe avant-coureur d'orage. Partons, il est temps. La nuit va tomber.

Aucun de ses arguments ne me convainquait. Je ne pouvais me résoudre à quitter les lieux. De nouveau je m'acharnai sur la porte principale, puis, contournant la bâtisse, fis de même à chaque issue. Sur la façade arrière, une porte étroite donnait accès à la tourelle. Je pesai sur elle de toutes mes forces, provoquant une avalanche de pierres qui allèrent rejoindre les éboulis. L'une d'elle m'atteignit à la main.

— Ma parole, vous êtes fou ! Je me vois vous ramenant à « Moor's inn » à moitié éclopé ! Venez...

Mais d'un coup de pied rageur, le dernier sans doute que je m'apprêtais à donner, j'attaquai la porte une fois de plus. Et soudain, le pêne céda, dévoilant un couloir sombre s'engageant sous une voûte en assez bon état. Pourquoi mon cœur battait-il si fort ? Que croyais-je donc découvrir ?

L'austérité des pierres apparentes donnait un style moyenâgeux à l'ensemble. « Une demeure d'une centaine d'années tout au plus », avait décrété von Bremer en accompagnant sa réflexion d'une grimace méprisante.

— Elle a dû être confortable autrefois.

Ces derniers mots furent couverts par un violent coup de tonnerre, tandis que la foudre tombait à quelques mètres de là, mettant le feu à un jeune conifère heureusement très en retrait du bois.

— L'orage ! m'exclamai-je.

Rien ne paraissait pouvoir assagir mon exaltation. Et quand la pluie se mit à tomber avec une violence peu commune, je n'y vis qu'une invite à chercher refuge dans le couloir voûté qui s'élançait devant nous. Nous nous y engageâmes résolument tout d'abord, puis à tâtons. De temps à autre, j'allumais mon briquet. La faible lueur éclairait des murs suintant d'humidité qu'aucun revêtement n'habillait. Derrière moi, impressionné sans doute, Christopher s'était tu.

Une seconde porte, entrouverte celle-là, mettait fin

au corridor. Elle grinça lorsque je la poussai, dévoilant un petit hall sommairement meublé d'une table à trois pieds au centre, et d'un coffre au couvercle rebondi installé sous la fenêtre. Des torches prêtes à être enflammées se faisaient pendant de chaque côté d'une large ouverture masquée aux trois quarts par une tenture de soie ternie. La poussière régnait en maîtresse. Elle brillait l'espace d'un instant sous l'éclairage violent des éclairs qui sillonnaient les nues. L'atmosphère était viciée, et cependant la flamme de nos briquets s'inclinait sous un courant d'air persistant.

Religieusement, comme si je fus entré dans un oratoire, je soulevai la tenture, pénétrant ainsi dans une pièce de plus grande dimension où s'étalaient des fauteuils de bois noir à hauts dossiers sculptés et aux coussins brochés qui paraissaient attendre le bon plaisir de nombreux visiteurs. Malgré cela, notre malaise augmentait.

En violant cette demeure qu'un sortilège semblait avoir figée, nous prenions conscience de notre indiscrétion, mieux : de notre désinvolture.

Aucune recherche, aussi importante fût-elle, ne justifiait un tel manque de courtoisie, car nous avions réellement l'impression que le propriétaire des lieux ne s'était qu'absenté. Et pourtant ! tout indiquait que cette absence durait depuis des années. L'orage, par quelques tuiles arrachées par le vent, s'introduisait à son tour dans le castel. Du plafond aux lambris pourris, l'eau commençait à tomber. Une cataracte qui attaquerait une fois de plus le parquet marqueté et gonflerait les tapis persans à moitié mangés par les mites. Tant de splendeurs condamnées à mourir ! Des meubles de prix qui auraient ravi les antiquaires, et que les vers rongeaient inexorablement. Des tableaux que la moisissure désagrégeait.

— J'en suis malade ! murmura von Bremer qu'un tel spectacle désolait. Quel destin étrange que celui de ce Whiseley-Hall où nous n'aurions jamais dû venir ! Désirez-vous continuer la visite, Eric ?

J'inclinai la tête. Je ne m'arrêtais point aux ravages du temps sur le cottage endormi ; ce que je voulais savoir, c'était pourquoi... Pourquoi on ne l'habitait plus. Qui « on » ? Etait-ce de Carl-Gustav qu'il s'agissait ? De Carl-Gustav Whiseley, l'époux de Ludmillia ?

Mes yeux n'étaient point rassasiés et les battements de mon cœur ne s'apaisaient pas. D'un pas résolu, j'ouvris une autre porte.

La nuit, tout à fait tombée à présent, ne permettait pas de juger des dimensions de la salle où nous venions de pénétrer. Le vent s'engouffrait par une fenêtre au carreau cassé. Il tournoyait autour de nous comme une bête affolée, nous empêchant ainsi de battre nos briquets. Je fis un pas en avant. La pluie tombait avec une fureur qui ferait déborder le loch.

A « Moor's inn », l'aubergiste devait se demander ce que nous étions devenus. Je me rappelai son visage effrayé quand je l'avais interrogée. J'avais dit « Whiteley », mais elle avait fort bien compris que je voulais parler de Whiseley-Hall.

Il était étonnant que personne ne se fût introduit dans cette demeure pour la vider de son contenu.

Une légende effrayante courait-elle la campagne au point d'inspirer une crainte superstitieuse à d'éventuels cambrioleurs ?

— Allons-nous-en..., dit Christopher d'une voix qui résonna dans l'air glacé.

— Non, pas encore.

Et au même moment une série d'éclairs illumina la salle, dessinant une cheminée au-dessus de laquelle trônait un immense portrait qui m'arracha un cri sourd :

— Ludmillia !

C'était Ludmillia qui me contemplait du haut de son cadre d'or avec un sourire mélancolique. J'en étais persuadé. Mais hélas ! la nuit envahissait de nouveau les êtres... Je priai pour qu'un nouvel éclair touchât de son doigt bleu le visage de ma bien-aimée.

— C'est elle, Chris. Vous l'avez vue, n'est-ce pas ?

Je me tournais vers lui, dans l'attente d'une confirmation, je m'étonnais qu'il ne répondît pas.

— Vous l'avez vue ?

— Je l'ai vue.

— Dieu soit loué !

A mon allégresse, von Bremer répondait mal. Il avait été si stupéfait de cette apparition, il comprenait si peu ce qui venait de se passer qu'il croyait être la victime d'une hallucination.

— Il faut en être sûr.

— Comment ?

— Les torchères dans le petit hall... Peut-être l'une d'elles consentirait-elle à s'allumer ? Il serait temps... Je n'ai presque plus de gaz dans mon briquet.

— Conservez-le précieusement.

Nous rebroussâmes chemin à l'aveuglette, rasant les murs près des fenêtres. Le tonnerre ne cessait de vrombir. Il faisait froid. Une sorte de manteau humide nous tombait sur les épaules. Quelque part, un volet claqua.

Un rat nous glissa entre les jambes. Nous avions l'impression d'évoluer dans un tombeau. D'être nous-mêmes deux de ces fantômes chers aux Highlanders.

— Si vous m'aviez raconté cette aventure, je ne vous aurais pas cru !

Et si c'était vrai ? Et si Ludmillia avait bien habité ici ? Pourtant, le délabrement des lieux ne datait pas d'hier. Tapis rongés, tentures tombant en lambeaux, vitraux brisés, toiture arrachée, tout cela n'avait pu se faire en l'espace de quelques mois. Or, il n'y avait qu'un an que Ludmillia avait quitté Heiligenblut... Tant bien que mal, nous atteignîmes l'entrée. Pour décrocher les torchères, il nous fallut déplacer le coffre et monter dessus. La rouille les avait fixées à leurs broches. Nous fîmes un bruit épouvantable en les en retirant, un bruit dont la vieille maison résonna comme d'un glas. Un peu de suif les enduisait encore.

Je les bourrai d'un morceau de tissu usé, et y mis le feu, tandis que Christopher glissait son briquet désormais inutilisable dans la poche de son gilet. La joie me donnait des ailes. A la lumière de nos flambeaux, nous retournâmes dans la « salle au portrait », ainsi l'avais-je nommée. Frappé des dimensions de cette pièce que n'écrasait pas la cheminée ornée de caryatides, je n'eus d'yeux cependant que pour Ludmillia. M'interrogeant quant aux atours d'une autre époque qui la vêtaient, détaillant avec surprise la robe d'un bleu pâle sur laquelle tranchait le velours bordé d'hermine d'un manteau de cour, la collerette de dentelle empesée, les lourds colliers de perles superposés et les souliers de satin, je ne pouvais croire que ce fût-elle. Et pourtant, bien que coiffés en torsade, c'étaient bien ses cheveux noirs aux reflets roux, son sourire... moins espiègle qu'énigmatique, et ses yeux. Ah ! ses yeux. J'en reconnaissais l'expression interrogative. J'y voyais briller cette petite lueur d'amusement qu'elle avait toujours quand nous étions ensemble et que nous nous moquions du reste du monde...

— Ce n'est pas elle, dit Christopher d'une voix enrouée par l'émotion. Ce ne peut pas être elle ! Elle est habillée comme une Florentine du temps de Casanova !

Je l'interrompis, agacé :

— Elle a pu poser dans ce déguisement.

— Certes. Mais voyez la date du tableau...

Au-dessous de la signature du peintre, d'ailleurs impossible à définir, on pouvait lire « 1963 ».

Or, à cette époque, Ludmillia n'était pas née !

— Il ne peut s'agir que d'une très grande ressemblance, insista Christopher qui s'inquiétait de mon silence. Il faut vous y faire, Eric.

— Vous croyez tout de suite à une simple coïncidence ! explosai-je. Comme si l'on pouvait trouver son sosie à tous les coins de rue ! Puisque ce n'est pas Ludmillia, ce ne peut être qu'une parente à elle. Sa mère ou sa sœur.

— Voyons, vous avez connu la baronne Greta von Bremer. Quelle mère a jamais été plus différente de son enfant ?

Elle était blonde, en effet, avec des traits flous qui, après sa mort, s'étaient entièrement effacés de ma mémoire. Je me souvenais seulement qu'elle était charpentée comme une bonne Bavaroise et qu'on l'aurait mieux vue servant des chopes de bière dans une taverne de Munich que recevant tous les mercredis dans un salon lambrissé les notables d'Heiligenblut ! Plus petit qu'elle, d'une nervosité maladive, semblant perpétuellement préoccupé, tel m'était apparu son mari, Hans von Bremer. A lui non plus, Ludmillia ne ressemblait pas. Et en éclairant les traits de Christopher de mon flambeau, je jugeai que les deux cousins paraissaient avoir peu de points communs, hormis une silhouette élancée et des cheveux bruns.

Comment viendrions-nous à bout de l'énigme qui se posait à nous ? Aurions-nous la chance d'éclaircir tous les mystères qui entouraient Ludmillia ? La chance, surtout, de la retrouver, elle, et de la retrouver saine et sauve ?

J'admis que nous ne pouvions plus rien faire ce soir-là, pas même décrocher le tableau que je comptais bien ramener en Autriche.

— Un monument pareil ! Vous vous rendez compte ! s'exclama Christopher.

— Nous roulerons la toile, dis-je sèchement, et dès demain, nous interrogerons les gens alentour. On saura bien nous dire pourquoi Whiseley-Hall est abandonné. Ce cottage appartient forcément à quelqu'un.

J'y serais bien resté jusqu'à l'aube, mais mon compagnon ne se souciait pas d'y passer la nuit, bien que la pluie torrentielle que nous dûmes affronter l'eût quelque peu contrarié.

— Nous risquons de nous perdre dans le bois..., grommelai-je.

— Passons par l'autre chemin.

Ce dernier, plus à découvert, nous ramena au prix d'efforts constants et d'une fatigue intense à Whiseley-Cross. Mais nous avions laissé notre voiture le long de la berge et, pour la récupérer, il nous fallait encore marcher, malgré les ornières et le vent qui ne cessait de nous malmener. Par endroits, le lac débordait. Nous y pataugions tant bien que mal, faisant attention de ne pas glisser dans les eaux noires et traîtresses. Il me semblait avoir du plomb dans les jambes. Chris s'arrêtait de plus en plus souvent, à bout de souffle. L'orage l'avait rendu si nerveux qu'il me rendait responsable de tous ses maux.

A la vue de notre véhicule, je ne pus m'empêcher de pousser un soupir de soulagement. Nous nous affalâmes sur les sièges avec une satisfaction sans mélange. Si l'humidité ambiante ne nous avait assaillis au point de nous faire grelotter, nous n'aurions pas été plus loin, d'autant qu'il nous restait encore un exploit à accomplir : refaire le chemin en marche arrière, au risque de nous retrouver dans le loch Ness ! Il fallait que l'un de nous deux guidât l'autre. Christopher étant incapable de marcher plus longtemps, je lui proposai de prendre le volant. Il conduisait bien, heureusement, et la perspective de se retrouver bientôt dans un lit — aussi dur que fût le matelas ! — lui redonnait courage.

Jamais trajet ne me parut plus long. Le danger réel que nous courions nous tenait en haleine. Lorsque la fameuse croix apparut enfin dans mon champ de vision, Christopher accéléra, la contourna afin de remettre la voiture dans le bon sens, puis il se laissa tomber de tout son poids sur le volant.

— Cinq minutes de plus et je me serais mis à hurler ! me dit-il.

— Otez-vous de là, répondis-je.

Avec quel empressement, il alla se coucher sur la banquette arrière !

« Moor's inn » n'était plus très loin. Je l'atteignis avant qu'il ne se fût endormi. Une faible lueur brillait au premier étage. Inquiète, notre hôtesse nous attendait. Si elle s'étonna de nos vêtements trempés, crottés, de nos mines chiffonnées, de nos yeux presque hagards, elle se contenta de hocher la tête en signe de désapprobation.

Avant de me retirer dans ma chambre, je crus bon de lui lancer :

— Whiseley Hall, grand-mère ! Demain, il faudra que vous nous parliez de cette grande maison que même le diable n'habiterait pas !

Elle eut un haut-le-corps et de nouveau cette expression effrayée dans les yeux. Furtivement elle se signa avant de se réfugier dans la petite pièce qu'elle occupait au rez-de-chaussée, appelant son chien sur un mode aigu, comme si elle eût voulu le soustraire également à mon influence. Le diable que j'avais évoqué, elle devait se dire que c'était moi ! J'avais cette fois-ci étudié de près sa réaction, et j'étais certain à présent que tout ce qui touchait à Whiseley-Hall la mettait mal à l'aise. Il me serait sans doute difficile d'obtenir d'elle des éclaircissements. Ce devait être un sujet tabou. Son laconisme naturel ferait le reste. Je n'obtiendrais rien de cette vieille femme bornée, tout imprégnée de superstitions tenaces. Peut-être aurais-je dû être plus diplomate et ne pas l'attaquer de cette façon brutale ? J'avais commis une erreur, mais du moins avais-je pu me rendre compte de l'effet produit par mes paroles. Il y aurait bien d'autres personnes dans les alentours proches qui se montreraient moins réticentes.

« Nous interrogerons les paysans, pensai-je. Et puis le notaire de Drumnadrochit. Lui ne refusera pas de nous renseigner... »

Ce fut avec cet espoir au cœur et l'image de celle que j'appelais malgré moi Ludmillia, dans ses atours d'un autre âge, que, fourbu, je finis par me mettre au lit. En fait, je m'y laissai tomber comme une masse. Dans la chambrette à côté, Christopher dormait déjà, en ronflant plus fort encore que de coutume.

***

J'avais sans doute trop présumé de ses forces, car le lendemain, il se réveilla avec un mal de gorge et une toux violente accompagnés de fièvre.

— Je ne me suis jamais senti aussi mal en point ! me dit-il.

De fait, je fus frappé de sa pâleur, si bien que je décidai d'aller chercher un médecin. Etait-ce un signe du destin ? L'homme était assez âgé pour avoir connu les habitants de Whiseley-Hall. Lorsqu'il eut prescrit à Christopher un traitement que j'espérais efficace, je lui parlai de notre incursion dans l'univers étrange que représentait cette maison cernée de toute part par la forêt qui nous avait fait si grande impression.

C'était un homme de science. Je pensais pouvoir discuter avec lui en toute tranquillité, mais je m'aperçus très vite que mon aveu et plus encore mes questions le bouleversaient.

— On ne s'approche pas de Whiseley-Hall, me dit-il enfin en tirant sur sa cravate comme s'il manquait d'air. Si vous racontiez votre aventure aux gens d'ici, on se détournerait de vous, en vertu du fait que le malheur est contagieux.

Je le priai de continuer. Mon regard dut être assez éloquent pour le décider à s'épancher. Il ne le fit pas, cependant, sans me demander en quoi cela pouvait avoir de l'importance pour moi. Comment m'expliquer sans paraître farfelu ? Comment lui dire que mes pressentiments, après m'avoir torturé pendant de longs mois, avaient fini par me conduire en Ecosse, puis jusqu'à cette demeure ? Je m'exprimai le plus clairement possible, en l'assurant que je recherchais mes ancêtres et qu'il n'était point impossible que les Whiseley me fussent apparentés.

Il hocha la tête avec commisération.

— Dans ce cas, vous serez déçu. Il y a près de vingt ans que les derniers membres de cette famille se sont éteints. Une hécatombe..., continua-t-il, la gorge soudain enrouée. Un de ces drames qui vous fait douter de la miséricorde divine... Je n'étais qu'un jeune loup tout imbu de mon savoir quand je soignai James Whiseley pour la première fois. Cette homme de soixante ans qui en paraissait bien dix de plus ne jouissait pas d'une très bonne réputation. Commerçant dans l'âme, il avait assis sa fortune à l'aide de transactions spectaculaires et on aurait pu l'admirer pour son esprit d'initiative, son sens des affaires et son opportunité, si lesdites transactions n'avaient ruiné nombre de braves gens trop crédules. L'appât du gain, l'acharnement qu'il mettait à réussir dans des domaines aussi divers que l'élevage de chevaux, l'aéronautique ou l'immobilier en avaient fait un homme riche. On enviait sa réussite tout en plaignant son épouse à laquelle il ne vouait qu'une indifférence glacée.

» Quand leur fils, Robert, atteignit l'âge d'homme, Whiseley l'arracha à ses études pour l'entraîner dans son sillage. Robert était intelligent mais doué d'un sens de l'honnêteté tel qu'il ne pouvait se résoudre à employer les mêmes procédés que son père. D'où un antagonisme latent qui contribuait à entretenir au sein du foyer familial des sentiments de rancune, voire de haine. Ce fut à cette époque, peu avant le mariage de Robert avec Mary Herkins, la fille d'un hobereau des environs, que James Whiseley acheta cette maison un peu théâtrale que vous avez vue hier soir. Agrandie, flanquée d'une tourelle et rebaptisée Whiseley-Hall, elle ne pouvait pourtant passer pour un castel. James s'en moquait, bien qu'il fût obsédé par l'idée de se faire anoblir par la reine, une manière comme une autre d'effacer ses origines modestes. Il y avait eu une mort suspecte dans cette demeure. C'était sans doute pour cela que les précédents propriétaires s'en étaient débarrassés pour une bouchée de pain. En Ecosse, on ne badine pas avec ces choses... « De l'enfantillage ! se plaisait à dire James Whiseley ! Je ne crains pas les " fairies " et autres démons ! Je suis moi-même plus retors qu'eux ! » Ces propos, lancés comme un défi, s'accompagnaient d'un grand rire plus grinçant que réellement joyeux. Il s'installa donc à Whiseley-Hall avec les siens, et entreprit d'y recevoir celles de ses relations qui, pour une quelconque question d'intérêt, ne souhaitaient pas se le mettre à dos. Car, d'amis, il ne possédait point, et ses enfants non plus, par voie de conséquence. Ce fut alors que ses affaires commencèrent à péricliter. L'usine où il construisait des petits avions de tourisme prit feu, les cours de la Bourse s'effondrèrent, mettant sa situation financière en grand péril. Pour comble de malchance, sa femme mourut, minée par des années d'indifférence et de regrets. Sa belle-fille, Mary, enceinte de quatre mois, manqua perdre l'enfant qu'elle portait, et Robert fit une chute de cheval qui le handicapa pendant de longues semaines. Stoïque, James Whiseley supportait les coups du sort avec un courage qui forçait l'admiration. Un moment, il parut redresser la barre de ce vaisseau en perdition, au prix d'efforts constants et de nouvelles transactions plus véreuses encore que les précédentes. Avait-il trop présumé de ses forces ? Il fut terrassé un soir, alors qu'il déchirait d'un geste rageur une de ces lettres de menace, toujours anonymes, qui lui parvenaient quotidiennement depuis des mois. Celui qu'on avait fini par surnommer « le vautour », une fois décédé, on respira mieux à Drumnadrochit, bien qu'il eût mérité un sort moins clément, se plaisait-on à dire. Puis, l'on se demanda avec curiosité comment Robert se sortirait de ce fatras. Capable d'initiative, soucieux d'assurer à l'enfant qui venait de naître — une petite fille — un avenir décent, il se battit comme un lion contre des concurrents acharnés à en finir définitivement avec les Whiseley. Et il parut réussir, cet homme doué d'un sens de l'honneur qui avait tellement fait défaut à son père, soutenu par l'amour profond que lui vouait son épouse et par le regard éveillé de Maureen qui lui souriait de son berceau... Après avoir préféré vendre commerce et usine plutôt que de s'endetter davantage, il s'apprêtait à reprendre ses études de médecine, lorsque le malheur frappa une fois de plus... Le bébé disparut dans des conditions particulièrement stupéfiantes. En effet, Mary Whiseley affirma qu'il n'était pas resté seul plus de cinq minutes. « Et encore avais-je, de ma fenêtre de chambre où j'avais été chercher un livre, surveillé le landau installé sous un arbre à deux pas du perron », précisa-t-elle, en larmes, lorsque la police commença son enquête. Nous fûmes tous persuadés que le ravisseur réclamerait une rançon dans les quarante-huit heures. Mais personne ne se manifesta. S'agissait-il d'une vengeance ? Souhaitait-on faire payer aux pauvres parents tout le mal que James Whiseley avait fait ? C'était trop révoltant pour être approuvé par l'opinion publique. L'affaire émut tellement que chacun s'efforça d'aider la police dans sa tâche. Des romanichels que l'on avait vus camper près du loch furent arrêtés. Il en fut de même des domestiques encore en poste à Whiseley-Hall au moment du drame. Ceux qui avaient été licenciés après le décès de James furent retrouvés et longuement interrogés. Sans résultat. Six mois s'écoulèrent ainsi... Il n'y avait plus d'espoir de retrouver la fillette. Folle de douleur, Mary s'empoisonna. Bien que je l'eusse fait transporter dans un centre antipoison, on ne put la sauver. Alors, Robert, décidé à refaire sa vie ailleurs qu'en ces lieux inhospitaliers, ferma la maison et l'abandonna à son destin. Certains la croient hantée. Quant aux autres, ils se gardent bien de s'en approcher. Je vous l'ai dit, Mr. Lund, le malheur est contagieux...

Le docteur Dicks reprit son souffle, puis il s'épongea le front, bien que le temps fût encore frisquet ce matin-là malgré le retour du soleil. Je le priai de déjeuner avec moi. Il déclina l'invitation.

— Mes malades ne sauraient attendre. Merci. Je passerai voir votre ami demain matin. Il ne tardera certainement pas à se rétablir. Prolongerez-vous votre séjour en Ecosse ?

J'hésitai.

— Non, je ne crois pas...

Plus rien en effet ne réclamait ma présence ici. Ce fut par acquit de conscience que je fis une visite aux trois Whiseley repérés dans l'annuaire du téléphone, dont les domiciles étaient situés dans la vallée du loch. D'eux, je n'espérais pas de miracles. J'avais raison de ne pas me bercer d'illusions. Un seul d'entre eux avait connu James Whiseley et il en gardait le même souvenir déplaisant que le docteur Dicks.

— Le vautour ! Jamais surnom ne fut mieux approprié. Il était petit, puissant, avec un nez crochu et des mains d'avare. Je suis soulagé de ne pas lui avoir été apparenté. Mais notre homonymie m'a souvent gêné dans mes transactions. On me regardait soupçonneusement pour finir par me poser la question classique : « Whiseley de Whiseley-Hall ? » Croyez-moi, ce n'était pas drôle...

— Alors, me dit Christopher entre deux quintes de toux, quand partons-nous ? Je ne serai pas fâché de quitter ce sacré pays. La solution de notre problème ne se trouve pas dans les Highlands, mais à Heiligenblut. Mis au pied du mur, il faudra bien que l'oncle Oscar s'explique !

J'approuvai silencieusement.

Ma journée avait été surchargée, mais je ne résistai pas à l'attrait qu'exerçait sur moi la vieille maison dans la forêt. Je m'y rendis en fin d'après-midi, muni cette fois d'une lanterne à piles achetée dans un magasin d'Inverness, et d'une échelle coulissante que j'eus du mal à caser dans la voiture. Grâce à elle, je pourrais décrocher le tableau, le seul véritable lien qui me rattachait à Ludmillia. Je voulais bien admettre que ce n'était pas son portrait. Qui m'expliquerait cette étonnante ressemblance ? J'espérais que, mis en sa présence, le baron von Bremer ne chercherait plus à tergiverser. Puis, je me souvins de sa froideur, de son incommensurable orgueil et de la maîtrise qu'il gardait en toute occasion. Réussirais-je à l'ébranler ? Mieux valait pour cela m'entourer de précautions diverses. En commençant par m'assurer de l'identité de celle qui avait posé pour ce tableau.

Sans en parler à Christopher que tout paraissait ennuyer, je mis mes plans à exécution. Sous un soleil déclinant, Whiseley-Hall somnolait. Je m'en approchai avec une timidité plus grande encore que la veille. Ce que je savais à présent de cette bâtisse contribuait à accentuer encore le malaise qu'elle me procurait. Etait-il vrai qu'elle portait malheur comme le docteur Dicks l'affirmait ? Une succession de coïncidences fâcheuses tressait autour d'elle un réseau de répulsion. J'avais beau ne pas être très impressionné par ces fadaises, ma gorge se serrait.

Sur le seuil de la porte que j'avais forcée, une prière me vint aux lèvres, comme si je cherchais à conjurer le mauvais sort. Jugeant mon obsession ridicule, je transportai l'échelle en toute hâte jusqu'à la grande salle dont l'ordonnance m'avait échappé, tant j'étais impressionné par ce portrait surgi des ténèbres. Il me fallait rivaliser de vitesse avec la nuit, mais je comptais bien capter les derniers rayons du jour en ouvrant les volets qui laissaient filtrer une lumière glauque. Dès que j'eus posé mes instruments, je levai les yeux, pressé de contempler le visage de ma bien-aimée. Alors mon sang se glaça dans mes veines. La monumentale cheminée était toujours surmontée d'un tableau, mais... mais de portrait il n'était plus question. La toile représentait une chasse à courre dans la campagne anglaise. De moindres dimensions, elle n'arrivait pas à couvrir les traces jaunâtres laissées par le cadre précédent. On avait enlevé la « dame au manteau d'hermine » ! On avait fait disparaître « ma » Ludmillia ! Qui « on » ? Tout d'abord atterré, je fus pris d'une excitation et d'une rage incontrôlables. N'était-ce pas la preuve tangible que nos faits et gestes étaient épiés ? Maintenant j'osais me l'avouer, depuis notre arrivée en Ecosse, je me sentais suivi. Peut-être avait-on espéré que nous ne parviendrions pas jusqu'à Whiseley-Hall ? Il y avait en effet quatre-vingt-dix-neuf chances sur cent pour que nous passions à côté de cette propriété, pratiquement rayée de la carte et des mémoires... Seul le

Hasard nous avait servis. Le Hasard, ou un sens de la déduction dont je m'honorais, tout en reconnaissant à Christopher le mérite de m'avoir mis sur la voie.

Comme un fou, je me mis à arpenter la maison de fond en comble. Peut-être avait-on seulement déplacé le portrait ? Mais je savais bien qu'il n'en était rien. Une chose était certaine : on avait voulu le soustraire à notre attention. Pourquoi l'aurait-on fait s'il n'avait eu un rapport direct avec Ludmillia von Bremer ?

« Notre mystérieux poursuivant a commis une faute, pensai-je. Christopher et moi n'avons pas rêvé. Tableau en main ou pas, la piste que nous avons découverte est la bonne. »

Oui... Mais nous nous y avancions avec un bandeau sur les yeux. Soudain, l'ampleur de la tâche me découragea, et je demeurai là un moment, en proie à un désarroi compréhensible.

— Sacrebleu ! dis-je à haute voix, comme si je lançais un défi aux vieux murs hostiles. Je ne me laisserai pas faire. Il doit y avoir un moyen de savoir... Le docteur Dicks ne refusera pas de m'aider. Les anciens domestiques de Whiseley-Hall n'ont peut-être pas tous quitté la région ? L'un d'eux finira par me dire qui représentait ce portrait. Personne ne peut l'avoir oublié...

Abandonnant lampe à piles et échelle sur place, je m'engouffrai dans ma voiture en coup de vent et me rendis directement au cabinet du praticien.

Je dus sonner plusieurs fois avant qu'une femme au visage hagard, plus pâle qu'une morte, consentît à m'ouvrir.

— Le docteur Dicks, s'il vout plaît, madame... De la part d'Eric Lund. (Et comme elle paraissait ne pas comprendre :) S'il n'est pas libre ce soir, je reviendrai demain matin à la première heure, avant qu'il ne parte en visite. Voulez-vous le lui dire ?

— Je ne lui dirai plus jamais rien, Mr. Lund, répliqua-t-elle en réprimant un sanglot. Mon mari a percuté un arbre à la sortie de Drumnadrochit. Il ne se remettra pas de ses blessures. Je le sais. Il conduisait trop vite. « Tu comprends Emily, objectait-il sans cesse, les malades m'attendent... Les décevoir serait un sacrilège... » Ah ! mon Dieu ! Pourquoi était-il si consciencieux ?

IV

J'allai voir le pauvre diable à l'hôpital ; on me permit de l'approcher quelques instants. Malgré la pitié qu'il m'inspirait, j'avoue que ma visite n'était pas désintéressée.

Son visage ivoirin, sa respiration haletante, ses yeux obstinément clos m'inspirèrent de l'effroi. Non, il ne s'en remettrait pas. Profitant de l'absence momentanée de l'infirmière, je me penchai sur lui et l'appelai doucement. Fut-ce la persuasion de ma voix ? Il tressaillit, puis s'éveilla de sa torpeur. Mon visage ne lui était pas familier ; sur le moment, je sentis qu'il cherchait où il m'avait vu. Je m'empressai de le mettre sur la voie en évoquant simplement Whiseley-Hall. Je vis qu'il avait compris et qu'il s'interrogeait sur les raisons de ma présence à son chevet.

Le temps pressait. J'aurais pu lui apporter quelque réconfort, lui dire qu'il s'en sortirait, mais à la pensée que la mort pouvait me gagner de vitesse, je posai la question qui me tenait à cœur. Se souvenait-il du portrait dans la grande salle ?

Il me regarda d'un air étonné en abaissant les paupières en signe d'assentiment. Qui représentait-il ?

Suspendu à ses lèvres, je guettais sa réponse. Elle tardait à venir. De nouveau il ferma les yeux.

— Qui ? répétai-je en mettant une main sur son épaule.

J'avais l'impression d'employer des méthodes policières vis-à-vis d'un moribond. Si l'infirmière était entrée en cet instant, nul doute qu'elle m'aurait fait sortir. J'avais honte de faire appel aux souvenirs de cet homme quand la souffrance dévastait son corps. Il eut un soubresaut et un long gémissement. Je crus qu'il exhalait son dernier souffle, mais ce fut un nom que je saisis au vol :

— Mary...

Puis, comme si cet effort l'eût épuisé, il se cantonna dans un silence que je n'osai plus rompre. Mary... J'en conclus qu'il s'agissait de Mary Herkins, l'épouse de Robert Whiseley. Tout — l'âge du modèle, la date du tableau — correspondait. Il me restait à comprendre pourquoi elle s'était fait peindre en princesse florentine. Peut-être avait-elle simplement acquiescé à une lubie de son beau-père, très obsédé par l'idée d'être lui-même un jour anobli ?

Comment mener une enquête ? Le manque de temps m'empêcherait de la réaliser. Je voyais en effet avec terreur les jours fuir plus vite encore que je ne l'avais imaginé. Malgré mon ardent désir de ne pas interrompre mes recherches, je ne pouvais mettre en péril ma situation. Si je ne reprenais pas mon travail à l'heure et au jour prévus, le rédacteur en chef de la *Kronen Zeitung* me prierait d'aller exercer mes talents ailleurs... L'espoir de retrouver Ludmillia, d'en faire ma femme (je ne croyais plus du tout qu'elle se fût mariée), conditionnait mes réflexes. Je devais pouvoir lui offrir un avenir décent. C'était cela qui avait déterminé mon départ pour Vienne, cela encore qui me guidait en cet instant.

Ne doutant plus qu'un lien de parenté étroit unissait Mary Herkins-Whiseley à Ludmillia, j'abandonnai le docteur Dicks à son destin. Le lendemain, j'appris qu'il était mort et, à ma grande surprise, que la police n'envisageait pas ce décès comme un banal accident de la route. En examinant la minable chose qu'était devenue sa voiture, on avait en effet découvert une rupture dans la canalisation des freins qu'on ne pouvait imputer à une usure quelconque, mais bien, en revanche, aux agissements d'une personne mal intentionnée. On avait intérêt à ce que le docteur Dicks ne revînt pas de ses visites. Qui « on » ?

De nouveau, je me posais la question. La toile avait disparu et le praticien ne parlerait plus. Jamais je ne m'étais senti aussi mal dans ma peau, persuadé qu'on me surveillait et que j'étais moi aussi en danger.

Sur le point de me rendre au commissariat, je me ravisai.

Christopher s'était chargé de me décourager.

— Que comptez-vous expliquer au chef constable ? me dit-il d'une voix bourrue. Racontez votre petite histoire et l'on ne tardera pas à vous prendre pour un illuminé !

Bien que toujours taraudé par la fièvre, il n'avait rien perdu de son énergie. Mon récit l'avait peut-être plus impressionné qu'il ne voulait le laisser paraître ? Il me conseilla vivement de ne point m'égarer sur des chemins tortueux, mais de me renseigner à la source, auprès de l'oncle Oscar, ce qui supposait un retour rapide en Autriche.

Indécis, dans l'impossibilité d'envisager une autre solution valable, je finis par me rendre à ses raisons.

— Quand le monstre saura que vous êtes allé à Whiseley-Hall et que vous lui parlerez du portrait, il se troublera. Il est possible que vous n'obteniez aucun renseignement sans avoir recours à la force.

— A la force ? dis-je. (Je ne me voyais pas frapper le vieil homme.) J'espère employer d'autres arguments.

Christopher me regarda avec commisération.

— Vous avez affaire à un retors, à un vicieux. Il ne se mettra pas à table si vous le lui demandez gentiment ! De toute façon, n'envisagez pas de l'affronter sans vous être muni d'une arme. Il n'arpente le domaine de Bremer qu'avec un fusil en bandoulière, vous le savez. Faites-en votre profit.

— Je ne possède pas de revolver, bredouillai-je.

— Ce n'est pas grave. Je vous en procurerai un.

La manière dont il envisageait les choses m'effrayait un peu, mais je lui fus reconnaissant de sa sollicitude. Persuadé qu'il ne me laisserait pas tomber au moment crucial, j'appréciais de plus en plus ce compagnon insolite que j'avais si longtemps mésestimé.

La veille de notre départ, j'allai voir une dernière fois la vieille maison dans la forêt. Elle me parut encore plus lamentablement esseulée. Dans les arbres alentour, le vent mugissait. Si l'on peut attribuer une âme aux choses, que penser des éléments ? Peut-être tentent-ils de communiquer avec les vivants, tandis qu'ils troublent le repos des morts ? La mer qui s'infiltre dans le loch Ness par le Moray Firth se fait l'écho de quelles voix ? Au pied de la tour par où j'avais pénétré dans Whiseley-Hall, j'écoutais le message du temps sans parvenir à le déchiffrer. Instinctivement, je remontai le col de mon blouson et croisai étroitement les bras, comme pour me renfermer sur moi-même, me fondre dans le vent et communier ainsi avec la nature.

J'étais plus blanc que le drap d'un fantôme quand je regagnai « Moor's inn ».

— Vous avez été de nouveau là-bas..., me dit Christopher qui prenait pour de la sensiblerie ce que je jugeais, moi, être de la sentimentalité.

Le blâme que je lisais dans ses yeux me fit prendre conscience du ridicule de ma conduite.

— Pensez plutôt à l'oncle Oscar. La haine qu'il devrait vous inspirer est une excellente forme de doping.

Il me donnait des conseils réalistes. Tout mon être criait vengeance, mais mon cœur pleurait l'absente... Hésitant entre la colère et les larmes, je ne me reconnaissais plus.

Cette nuit-là, j'examinai le problème sous ses angles les plus divers à la faveur de ce que le docteur Dicks m'avait appris. Mary Whiseley s'était suicidée. J'imaginais fort bien le chagrin de cette jeune mère à qui on avait lâchement arraché son enfant. Puisque les ravisseurs n'avaient pas demandé de rançon, ils ne s'étaient sûrement pas embarrassés du bébé très longtemps. On l'avait sans doute tué et enterré dans la campagne. C'était l'hypothèse la plus plausible. Il y en avait cependant une autre à laquelle je me raccrochais en désespoir de cause. La petite fille — j'ignorais son prénom — pouvait avoir été élevée dans les bas-fonds de Londres ou d'ailleurs... ce qui permettait de penser qu'elle était toujours en vie. Quand je songeais à l'étonnante ressemblance qui liait Ludmillia à Mary Whiseley, je ne pouvais m'empêcher d'arriver à une conclusion logique... Ludmillia était-elle la petite victime du rapt ? Ludmillia était-elle la fille des Whiseley ? Mais alors ? Que faisais-je des von Bremer ?

Si ténu était le fil conducteur qu'il se cassait souvent. Autant j'avais désiré venir en Ecosse, autant j'étais maintenant obsédé par l'idée de rentrer en Autriche, de retrouver Heiligenblut et le château qui avait abrité l'enfance de Ludmillia. Je revis la figure de fouine du majordome qui m'avait si peu aimablement accueilli, lorsque j'étais venu demander des nouvelles de la vieille Marion Reiner. Encore un mystère que la « disparition » de cette brave femme, un mystère qu'il était urgent d'éclaircir. Si quelqu'un connaissait les origines réelles de Ludmillia, c'était certainement elle, bien que Christopher en doutât.

— Les secrets de famille ne se partagent pas avec les domestiques, me dit-il en prenant ce petit air suffisant qui m'exaspérait.

— Marion était très bien considérée, repris-je, rêveur. Votre grand-mère, Fraü Hildegarde, entretenait de longues conversations avec elle, je m'en souviens. Ludmillia disait qu'elles s'entendaient très bien toutes les deux. A la Noël, Marion recevait non seulement des gages plus importants, mais un cadeau de prix. Elle hochait la tête et acceptait cela comme un dû. C'étaient en général des vêtements ou des colifichets qu'elle arborait ensuite à la messe le dimanche.

— Le père de Ludmillia était généreux envers ceux qui le servaient à sa convenance. C'est un petit travers que tous les von Bremer possèdent. Nous aimons exercer notre autorité, puis à récompenser nos fidèles « sujets ».

— Vous parlez comme un roi ! m'exclamai-je. Cessez donc de vous prendre pour le centre du monde !

Il rit.

— Vous êtes sur le point de haïr les nobles et les nantis, avouez-le !

— Quand je vous entends débiter de telles fadaises, oui !

Il avait réussi à me mettre de mauvaise humeur et le souvenir de Marion s'était estompé. Hormis l'oncle Oscar à qui il attribuait tous les vices, il ne comprenait pas que l'on pût critiquer sa famille.

Je n'avais pas connu son père, mort jeune dans un accident de voiture. En revanche, j'avais suffisamment côtoyé Hans von Bremer pour m'être fait une opinion à son sujet, tout gamin que j'étais à l'époque. Parce qu'il était l'aîné des trois frères, il portait le titre de baron et habitait le château en compagnie de sa femme et de sa fille. Sa fille ! Ludmillia était-elle bien sa fille ? A présent, j'en doutais. Jusque-là acquis et immuables, mes principes s'effondraient les uns après les autres.

Nous reprîmes la route pour Edimbourg. J'avais le cœur serré en quittant le Glen More. Ayant embrassé une dernière fois du regard le loch Ness, je lui trouvai un aspect plus énigmatique encore qu'à mon arrivée. Le monstre aux yeux de feu avait-il englouti ma princesse ?

— Romantique, va ! s'esclaffa Christopher en me bourrant l'épaule d'un coup de poing. Mais les rêves ne sont bons qu'à déformer la vérité.

— Sortira-t-elle seulement du puits ?

— Il ne tient qu'à vous...

Je savais qu'il ne me trouvait pas assez combatif. Je n'envisageais pas, en effet, d'affronter l'oncle Oscar sans une certaine appréhension. Ce n'était pas de la lâcheté — pour retrouver Ludmillia, j'aurais commis les pires folies — mais de la timidité. Les von Bremer m'avaient toujours impressionné. Le prestige du nom, sans doute...

D'Edimbourg, nous nous envolâmes le lendemain matin pour Vienne. Arrivés de nuit à Heiligenblut, Christopher et moi descendîmes à l'hôtel Glocknerwirt, plutôt que de déranger ma mère qui aurait été très embarrassée de devoir loger mon nouvel ami. Notre maison était confortable, mais il n'y avait qu'une salle de bains pour les trois petites chambres que nous possédions. De plus, le cousin de Ludmillia lui avait toujours inspiré de la défiance, bien qu'il fût de bonne guerre de ne pas critiquer « ceux du château », eu égard à leur générosité envers la commune. Sanctuaire gothique, notre belle église en avait plus d'une fois bénéficié, et les pauvres du village aussi. Je songeai brusquement que ma mère se serait mise en quatre pour accueillir Sir Herbert Smith, si je le lui avais amené en pleine nuit. Un aristocrate pourtant, tout comme Christopher. D'où venait qu'elle ne se gênait pas avec lui ? Je revis sa haute silhouette et son sourire séduisant sous la petite moustache à la Errol Flynn.

« Un grand écrivain, et un détective amateur des plus fameux, m'avait-elle dit. Tu devrais t'adresser à lui... »

Moins de deux mois plus tôt, j'en avais repoussé l'idée avec vigueur. Mais les choses avaient changé... Quoi que je pusse obtenir du tuteur de Ludmillia, je n'aurais pas le temps matériel de vérifier ses dires, puisque je devais reprendre mon travail dans des délais, hélas ! bien trop rapprochés à mon gré. Est-ce que si je contactais Herbert Smith... ?

— A quoi pensez-vous ? questionna Christopher, tant je m'absorbais dans la contemplation de la tasse de café que le veilleur de nuit de l'hôtel avait bien voulu nous servir. (Il était près d'une heure.)

Pourquoi ne lui parlai-je pas du projet qui venait de m'effleurer ? Je haussai les épaules.

— Vous me le demandez ?

— Il faudra sans tarder vous rendre au château. Je ne vous accompagnerai pas. Ma seule présence risquerait de compromettre votre entrevue avec mon oncle, entrevue que vous devez obtenir en lui téléphonant tout d'abord.

J'acquiesçai. J'étais loin, cependant, de me douter des difficultés qui m'attendaient. Dès mon premier appel téléphonique, je me heurtai à la mauvaise grâce du fameux majordome dont je gardais un détestable souvenir :

— Monsieur le baron est sorti.

— A quelle heure rentrera-t-il ?

— Je n'en sais strictement rien.

Au second appel, il me dit que le baron était bien là, mais qu'il ne souhaitait pas être dérangé. Comme j'insistais, il raccrocha tout bonnement l'appareil. Ma colère ne faisait que croître. Ce fut ainsi pendant deux jours. Mes parents, à qui j'avais raconté mes « expériences écossaises », s'effrayaient de la tournure que prenaient les événements. Ils n'avaient qu'une hâte : me voir repartir pour Vienne, persuadés que le travail me distrairait de mes obsessions, que je finirais par oublier ou par me contenter de la version officielle des choses. Mon père me blâmait d'avoir pénétré dans Whiseley-Hall. Le portrait le laissait sceptique. Il ne croyait pas que la personne qu'il représentait ressemblait à Ludmillia.

— Tu la vois partout ! grogna-t-il. Vraiment, Eric, tu devrais te faire soigner.

Ma mère ne disait rien, mais son silence était lourd de pensées. Timidement, elle me reparla d'Herbert Smith. A son grand contentement, je ne lui opposai pas un refus systématique.

— J'attends d'avoir en main des éléments plus précis. Son intervention ne pourra qu'y gagner. Mais acceptera-t-il ?

— Il acceptera. Cet homme-là a le culte de l'amitié. Je suis persuadée qu'il trouvera ton affaire particulièrement intéressante. (Et, comme j'allais m'éloigner :) N'en parle pas à Herr Christopher, du moins pas tout de suite.

Un pourquoi spontané me vint aux lèvres. Elle me répondit sur un ton évasif :

— On aura toujours le temps...

En attendant, mes coups de téléphone successifs à toute heure du jour, et même dans la soirée, ne m'avaient rien apporté.

Christopher me consola :

— Il est de tradition que les von Bremer aillent à la messe le dimanche, moi seul fait exception ! Vous pourrez toujours aborder l'oncle Oscar à la sortie.

J'attendis ce dimanche avec une impatience croissante, d'autant que je devais reprendre mon travail le lundi matin et que je devais encore me rendre à Vienne. « Bah ! pensais-je, je voyagerai de nuit. » Impérativement, il fallait donc que l'entrevue eût lieu au plus tard en fin d'après-midi.

Elle eut bien lieu, mais je ne m'attendais pas aux événements qui l'accompagnèrent. Quand j'y réfléchis, j'en ai froid dans le dos.

Je me revois encore pénétrant dans le pavillon de chasse que l'oncle Oscar avait transformé en fumoir et où il aimait à se retirer de temps à autre. Il y écoutait de la musique classique en se reposant d'une journée de chasse ou tout simplement des comptes de métairies qu'il tenait scrupuleusement.

A la sortie de la messe, surpris, semblait-il, de mon agressivité dont il ne paraissait pas comprendre la raison, il m'avait lancé d'un air désinvolte :

— Eh bien ! venez me retrouver au pavillon vers 19 heures. Je ne vous retiendrai pas longtemps, car je dîne tôt.

« En admettant qu'il ait encore de l'appétit ! », m'étais-je dit, satisfait à la pensée de le mettre dans l'embarras. Mais j'avais en vain guetté sur son visage des signes d'inquiétude.

« Peut-être ne se doute-t-il pas que je vais évoquer de nouveau Ludmillia ? »

Il était question que Federico Fellini vînt tourner un film dans la région. Ce n'était pas le premier cinéaste qu'Heiligenblut attirait, mais aucun n'avait la renommée de l'Italien. On disait que de nombreuses séquences seraient prises au château. Naturellement, en tant que journaliste de la *Kronen Zeitung,* je pouvais être amené à en parler dans mes chroniques. Oscar von Bremer se méprenait ? Tant mieux ! L'effet de surprise n'en serait que plus grand, et peut-être, alors, se laisserait-il aller à quelques confidences...

Mais la surprise, c'était moi qui devais l'avoir.

Jusqu'à dix-huit heures trente, mon impatience grandit au point de me rendre nerveux, fébrile, mal dans ma peau. Je m'étais créé un petit scénario que je comptais suivre scrupuleusement. Christopher m'avait recommandé d'attaquer son oncle de front.

A dix-huit heures quarante-cinq, je montai en voiture. Tout aussitôt, le moteur s'étouffa, puis cala. Une sueur froide perla à mon front. Si, pour me contrarier, les choses s'en mêlaient, qu'allaient devenir mes bonnes résolutions ? J'actionnai de nouveau la clef de contact. Le moteur eut un soubresaut, puis il se mit à ronronner normalement.

Dans le crépuscule teinté d'ocre et de pourpre, je vis apparaître le château. Sa silhouette, bientôt, se fondrait parmi les ombres. Le sentier que j'empruntai était assombri par la voûte des arbres centenaires sur laquelle planait la brume du soir. Il y avait très longtemps que je n'avais pas vu le pavillon. Malgré son aspect rustique, il m'avait toujours paru altier, comme s'il eût mis un point d'honneur à rivaliser avec le château lui-même. Les fenêtres, garnies de vitraux de couleur, laissaient venir jusqu'à moi une lumière diffuse.

Quand je mis pied à terre, je remarquai que la porte d'entrée était entrouverte. Je la poussai après avoir frappé, m'attendant à voir surgir le baron. Mais seul le bruit de mes pas sur le dallage du couloir troubla le silence.

— Herr Oscar ?

N'ayant obtenu aucune réponse, je pénétrai résolument dans la pièce principale, ne remarquant tout d'abord que le feu qui pétillait haut et clair dans la cheminée au monumental linteau de bois, puis l'électrophone où tournait encore un disque épuisé.

Machinalement, je l'arrêtai. « Le crépuscule des Dieux » de Wagner. Où pouvait-on mieux entendre un tel chef-d'œuvre que dans une ambiance aussi feutrée ? Un large divan incitait au repos. Il y avait des peaux de bêtes disséminées un peu partout.

Sur le buffet, des roses de jardin aux têtes trop lourdes pour de si frêles tiges s'effeuillaient.

Oscar von Bremer ne s'était jamais marié, mais il avait toujours eu plus de goût que sa belle-sœur, la mère de Ludmillia.

Perplexe, j'en étais là de mes réflexions, étonné que le maître des lieux ne se fût pas manifesté. Je commençais à trouver étrange qu'il ne répondît pas à mes appels. Etait-il sorti ? Et soudain, contournant le divan, je me heurtai à lui.

Il était étendu de tout son long sur le sol aux tommettes rouges, immobile, le visage tourné vers moi, les yeux écarquillés. Ses traits avaient la fixité de la mort, car, mort, il l'était bien, en effet.

Dans le foyer de la cheminée, une bûche s'écroula, provoquant une volée de braises. Leur incandescence accentua son teint rougeaud, ses lèvres violacées, les vaisseaux sanguins de ses yeux globuleux. Il n'avait jamais été beau, mais à présent, je le trouvais répugnant. Cependant, il m'inspirait de la pitié. Sur sa poitrine, absorbée par le veston d'alpaga, une tache écarlate s'élargissait de seconde en seconde.

— Mon Dieu ! dis-je. Mais qui a pu faire ça ?

Au village, on ne lui connaissait pas d'ennemis. Il buvait volontiers un demi de bière à l'hôtel Glocknerwirt en compagnie des autochtones. Son rire gras, peu distingué résonnait encore à mes oreilles. Avait-il quelque faute sur la conscience ? Quelque faute qu'on ne lui avait pas pardonnée ?

Et soudain me vint à l'esprit que j'étais sur les lieux d'un crime, que, d'une minute à l'autre, quelqu'un pouvait surgir et m'accuser. Le revolver que le meurtrier avait laissé bien en évidence, semblait me narguer. Alors, la panique s'empara de moi, une panique intense, incontrôlable. Je quittai la pièce à reculons, renversant au passage un petit guéridon chargé de bibelots. J'en enjambai les débris avec une célérité accrue par la peur qui me tenaillait. J'avais lu des romans policiers, j'avais vu des films d'Alfred Hitchcock où le héros, entraîné malgré lui dans une aventure extraordinaire, s'enfuit avec la mort aux trousses. Ce fut tout à fait cette impression là que je ressentis.

De la forêt qui me cernait de toutes parts, je crus ne jamais sortir. Comment avais-je fait preuve d'assez de sang froid pour regagner ma voiture et mettre le moteur en marche ? Je me posai cette question quand je me retrouvai roulant à vive allure en direction de Zell am See d'où je gagnerai Salzbourg, puis Vienne. Je n'avais pas dit au revoir à mes parents ni récupéré mes bagages. Pas davantage, je ne m'étais confié à Christopher. Mettre une grande distance entre moi et ce cadavre qui me regardait les yeux fixes, tel avait été le réflexe auquel j'avais obéis impérativement.

La nuit qui rôdait autour de la voiture, la pluie qui se mit à tomber brusquement, le ronron du moteur et le grincement des essuie-glaces accentuaient ma solitude, une solitude tourmentée dont je ne verrais la fin qu'avec le jour et de nouvelles catastrophes. Car on ne tarderait pas à découvrir le corps d'Oscar von Bremer et à me soupçonner. C'était logique. N'avais-je pas rendez-vous avec lui ? Plusieurs personnes pourraient en témoigner. Notre conversation sur le parvis de l'église avait attiré l'attention. Je ne m'étais pas méfié. J'étais si loin de m'attendre à un pareil désastre !

Au fur et à mesure que les faits affluaient à mon cerveau, je m'interrogeais sur l'assassin. Se trouvait-il parmi les paroissiens ? Avait-il sauté sur l'occasion qui ne manquerait pas de me faire accuser, pour perpétrer son crime ?

« Je lui ai fourni le moment idéal », pensai-je.

Et soudain je me rendis compte que ma fuite vers Vienne était non seulement inutile, mais idiote. Si on ne m'arrêtait pas chez moi, on viendrait me cueillir au journal. Je voyais la mine ébahie de mes collègues et l'air de réprobation du rédacteur en chef. Avais-je tant trimé pour accepter que ma carrière et ma vie fussent gâchées en quelques minutes ?

— Paris... Il faut que j'aille à Paris.

S'il y avait quelqu'un au monde capable de me sortir de ce mauvais pas, c'était bien Herbert Smith. Oui, je mettais tous mes espoirs en cet homme que je connaissais à peine, simplement parce que ma mère m'avait dit : « Lui, pourrait t'aider. »

Arrivé à Salzbourg, je bifurquai en direction de Munich, d'où je gagnai Stuttgart, puis Oberkirch. Ce fut seulement à Kehl, peu avant de passer la frontière, que je téléphonai à mes parents d'une cabine publique.

Comme je m'y attendais, ma mère se mourait d'inquiétude. J'avais fait plus de six cents kilomètres dans des conditions si harassantes que je trouvai à peine la force de la rassurer quant à ma santé. Là n'était pas l'essentiel.

— Oscar von Bremer est mort, lançai-je. C'est pour cela que je me suis enfui.

J'entendis son exclamation et sa respiration haletante.

— Mon Dieu, mon petit, qu'es-tu en train de me dire... ?

— Je n'en suis pas responsable, mère, rectifiai-je, conscient de la torture que je lui infligeais.

Il était trois heures trente et je l'imaginai dans sa

robe de chambre à fleurs roses, manipulant fébrilement son mouchoir. Elle avait du cran, mais elle devait se dire qu'avec moi rien n'était simple. La nouvelle en tout cas n'avait pas fait le tour du village, puisqu'elle l'ignorait.

— Mort ? répéta-t-elle d'une voix étouffée. Comment ?

— On l'a tué d'un coup de revolver peu de temps avant mon arrivée. Le meurtrier espère sans doute me faire accuser à sa place. Voilà pourquoi je vais me réfugier en France. Prie pour que ton ami anglais soit aussi efficace que tu le prétends. J'ai l'impression d'être tombé dans une souricière.

Elle m'exhorta à la prudence et s'inquiéta de savoir si j'avais assez d'argent sur moi.

— Assez pour payer l'essence qui me conduira jusqu'à Paris et pour y vivre quelques jours.

— Sir Herbert ne te laissera pas dans l'embarras. Je le rembourserai plus tard. Il sait que nous sommes de braves gens.

Pour mettre fin à l'attendrissement qui nous gagnait tous les deux, je brusquai la fin de l'entretien, non sans lui avoir promis de la rappeler au plus vite.

Moins d'une heure plus tard, j'avais et passé la frontière et déniché un petit hôtel en plein centre de Strasbourg, à deux pas de la célèbre cathédrale. Je respirais enfin.

⁂

Le lendemain, en début d'après-midi, avant de reprendre la route, j'entrepris d'écrire ces quelques pages. J'avais l'impression que tout se brouillait dans ma tête et qu'il me fallait mettre de l'ordre dans mes pensées comme dans mes souvenirs. Je confierais ces lignes à Herbert Smith. Elles lui seraient plus utiles que le récit que je pourrais lui faire de vive voix. J'avais en effet peur de l'entrecouper d'anectodes inutiles, de ne pas décrire les faits dans leur ordre chronologique, en un mot, de manquer de rigueur.

Ce travail achevé, je l'enfermai dans une enveloppe et je m'acheminai vers Paris.

PREMIERE PARTIE

« Nos actes ne sont éphémères qu'en apparence. Leurs répercussions se prolongent parfois pendant des siècles. La vie du présent tisse celle de l'avenir. »

G. LE BON,
Hier et Demain.

Tandis qu'Eric Lund tentait d'échapper à ce qu'il appelait « les périls de l'ombre », il y eut de par le monde une multitude de faits plus ou moins dramatiques qui bouleversèrent de nombreuses existences. Mais voici, tout particulièrement, ce qui se passa à Paris cette nuit-là...

I

Herbert Smith avait encore en tête la fin du roman qu'il avait écrit en quelques mois d'une plume alerte et vigoureuse. Ce n'était pas une fin heureuse, mais c'était la seule, jugeait-il, qui cadrât avec l'histoire, un récit mi-sentimental mi-policier. Il savait que ses lecteurs auraient la larme à l'œil et il était sur le point de le regretter. Il est préférable d'apporter du soleil dans la vie d'un être, un moyen d'oublier ses soucis, une espérance... Ce n'était pas que le célèbre romancier anglais eût du vague à l'âme ou une raison quelconque de s'en prendre au destin, non. Jusque-là, il avait été plutôt gâté par la vie. Ses romans faisaient le tour du monde. Outre l'estime dont il jouissait, il bénéficiait d'un solide compte en banque, d'une excellente santé et portait allégrement ses cinquante ans. On le disait amateur de femmes, mais bien qu'il eût un incontestable succès auprès d'elles, il était — prétendait-il — l'homme d'un seul amour, celui qu'il portait à la jeune et jolie Angèle Philipe.

Pour l'heure — il était près de minuit à la pendule du tableau de bord — Herbert fonçait le long des quais de la Seine au volant de sa puissante Bentley, malgré un brouillard à couper au couteau. Largement comparable en intensité au fameux « fog » de Londres, ce dernier supprimait toute visibilité. Cependant, l'écrivain avait tellement l'habitude de ce trajet qu'il était sûr de pouvoir gagner sans encombre le bel immeuble qu'il habitait en bordure du Luxembourg. Les arbres qu'éclairaient vaguement les réverbères semblaient autant de sentinelles fantomatiques. De temps à autre apparaissait la silhouette d'un passant attardé, comme surgissaient de la brume laiteuse les feux rouges ou verts qui codifiaient une circulation des plus fluides à cette heure tardive, par ce temps de chien.

Désireux de calme, Herbert avait éteint la radio. S'installait autour de lui une sorte de silence ouaté que rythmait le bruit du moteur. Il alluma une cigarette et l'éteignit quelques instants plus tard. Le champagne, qu'il avait absorbé au cours du cocktail donné dans un grand hôtel des Champs-Elysées par son éditeur, lui séchait la bouche. « Rien de tel, pensa-t-il, qu'un verre d'eau minérale pour neutraliser les excès de cette soirée au demeurant agréable. » Il eut la tentation de s'arrêter devant un bar, mais allez donc en repérer un dans cette purée de pois !

Et ce fut à cet instant qu'un bolide, venant du pont Alexandre III, traversa la chaussée, vira sur une aile en faisant crisser ses pneus, renversa une forme qui s'aventurait sur ce qu'Herbert identifia bientôt pour un passage clouté et disparut...

Le romancier n'avait eu que le temps de freiner, sinon il passait à son tour sur le corps de l'inconnu.

Un juron sancionna la peur qu'il venait d'éprouver, peur supplantée à présent par l'indignation la plus vive. Des chauffards, il en avait côtoyés à longueur de temps. Les lâches ne manquaient pas parmi eux. Quant aux criminels, ils jalonnaient les routes.

— Un de plus ! s'écria Herbert qui, sans perdre un instant, s'était arraché de son siège et courait vers la forme inerte qui s'était fait faucher à moins de deux mètres du trottoir.

En s'approchant, il vit qu'elle était enveloppée dans un ample burnous de laine blanc. Le capuchon cachait en partie son visage. Avec d'infinies précautions, il l'écarta.

Lui apparurent les traits d'une femme jeune, réguliers et beaux, encadrés de longs cheveux bruns. Sa tête avait heurté l'asphalte car du sang s'écoulait de son front.

— My God ! murmura Herbert. Presque une enfant...

Sa jeunesse dès l'abord l'émouvait, et aussi ses mains fines et blanches qui reposaient, tels deux oiseaux blessés, sur sa poitrine. L'écrivain se pencha, écouta... Le cœur battait lentement, mais il battait. Tout dépendait à présent de la rapidité avec laquelle lui seraient prodigués les premiers soins. L'Anglais regarda désespérément autour de lui. Les rares voitures auxquelles ils fit signe ne s'arrêtèrent pas. La déplacer et la porter sur le trottoir ? Etait-ce prudent ? Sa voiture dont il avait laissé les phares allumés éclairaient la scène, tout en signalant leur présence. Il eut la tentation de s'aventurer alentour à la recherche de secours problématique. Très vite, il y renonça. Le quai désert que parcourait un vent glacé ne l'encourageait pas à s'éloigner.

— Dans la vie, marmonna-t-il, on est parfois obligé de faire un choix, même si ce n'est pas le meilleur.

Rapidement, il se décida à transporter la jeune inconsciente jusqu'à sa voiture. Quelques instants plus tard, il démarrait en direction de l'hôpital Cochin, où il n'eut aucune peine à la faire admettre dans le service des urgences.

— Son nom, monsieur. Son adresse...

— Je les ignore. Elle n'a sur elle aucun papier, pas de sac, à moins que celui-ci ait été projeté à plusieurs mètres de l'endroit où je l'ai trouvée...

— Vous avez assisté à l'accident ?

— Oui.

— Dans ce cas, peut-être pourrez-vous aider la police dans son enquête ? Nous allons faire prévenir un inspecteur. Elle ne sera certainement pas difficile à identifier, d'autant qu'un parent, un ami s'inquiète probablement déjà de sa disparition. Nous avons l'habitude de ce genre de problèmes... Quant à sa santé... Il semble qu'elle n'ait rien de cassé. Les radios nous le confirmeront.

— Mais... cet évanouissement prolongé, docteur. Est-ce normal ?

L'interne haussa les épaules.

— Il est difficile de se prononcer au premier abord. Un bon conseil : rentrez chez vous.

Si Herbert eut l'impression très nette qu'on lui répondait à contrecœur, il n'en fit rien paraître. Ce n'était pas la première fois qu'il s'insurgeait contre ce qu'il appelait « la loi du silence ». « Pourquoi les médecins s'obstinent-ils à vous prendre pour des imbéciles incapables de raisonnement ? », pensa-t-il de nouveau, agacé par ce mutisme inadmissible.

Cependant, il se retira. Que pouvait-il faire d'autre ? Il y avait déjà un bon moment que la blessée avait disparu derrière les portes blanches à double battant qui s'étaient ouvertes et refermées sur le chariot où on l'avait allongée.

Herbert éprouva un pincement au creux de l'estomac. Il n'était pas près d'oublier le ravissant visage qu'aucun frémissement ne parcourait.

Avec un soupir, il regagna sa voiture, puis son chez-lui. Brusquement, il se sentait las à mourir. Le loden dont il était vêtu pesait lourd sur ses épaules.

— Monsieur a-t-il passé de bons moments ? demanda John, son fidèle valet de chambre, moins sans doute pour écouter le récit de sa soirée que pour s'expliquer la fatigue empreinte d'inquiétude qui marquait les traits du romancier.

— Bien commencée, ma petite sortie s'est très mal terminée..., avoua ce dernier.

Et il lui conta par le menu la façon dont le conducteur imprudent lui avait coupé le passage pour heurter de plein fouet la silhouette vêtue de blanc qu'il avait sans doute confondue avec le brouillard.

— Il ne s'est pas arrêté, le salaud ! grogna l'Anglais. Ah ! si je le tenais celui-là !

— Il s'agit d'une jeune fille, dites-vous ?

— Ou d'une jeune femme. Pourtant, elle ne porte pas d'alliance. Nous ignorons qui elle est et pourquoi elle traversait le quai d'Orsay en direction de la Seine, ce qui laisse supposer qu'elle voulait emprunter soit le pont Alexandre III soit celui de la Concorde.

— Elle vous intrigue, n'est-ce pas, Sir ? questionna John qui avait une telle expérience des humeurs de son patron qu'il était capable de les interpréter d'un coup d'œil.

— Oui. A quelques secondes près, c'est moi qui aurais pu l'emboutir. J'en ai la nausée.

— Allons, elle se remettra, vous verrez...

— Je n'aime guère ces évanouissements prolongés. Et encore moins les réponses évasives de l'interne.

Herbert arracha sa cravate et la jeta négligemment sur un fauteuil avant de gagner la salle de bains. Il renonça cependant à prendre sa douche habituelle pour se mettre au lit sans plus tarder. Mais se fut en vain qu'il chercha le sommeil.

Le film de l'accident se déroulait devant ses yeux avec une telle netteté qu'il en éprouvait un malaise chaque fois renouvelé. Le crissement des pneus sur la chaussée ébranlait encore ses nerfs. Il avait vu la voiture tanguer sous le choc avant de poursuivre sa route. On lui aurait dit que le chauffard était un gangster en fuite qu'il n'en aurait pas été surpris. Voilà pourquoi, dès son réveil, il écouta la radio. Mais il n'y avait pas eu de hold-up cette nuit-là.

Sans prendre le temps de finir son petit déjeuner, Herbert appela l'hôpital pour demander des nouvelles de sa protégée. On lui annonça brièvement que les examens étaient en cours.

— A-t-elle repris connaissance ? (Et comme on le priait de décliner son identité :) Herbert Smith. Je suis le témoin, ajouta-t-il.

— Justement, monsieur, la police voudrait vous poser quelques questions.

— Ce n'est pas le plus urgent. Il est probable qu'on

ne retrouvera jamais le coupable... A-t-elle repris ses esprits ? insista-t-il.

— Non.

— Comment cela ?

— Il m'est impossible de vous renseigner. Voyez le docteur Broussard. Elle a été transportée dans son service.

Herbert se résigna à raccrocher le combiné. De mauvaise humeur, il décida d'en savoir davantage.

Quand John le vit prêt à partir, il lui rappela :

— J'espère que Monsieur n'oubliera pas son déjeuner chez la marquise de Marmandier ; elle ne lui pardonnerait guère de ne pas être là pour fêter ses quatre-vingts ans.

— Seigneur ! Heureusement que vous m'avez rafraîchi la mémoire. En ce qui concerne les fleurs, le nécessaire a-t-il été fait ?

— Bien entendu, Sir.

— Bon, bon... A quelle heure ce déjeuner ?

— Douze heures trente précises.

Un rapide calcul permit à l'écrivain de minuter son temps. S'il allait à l'hôpital, il serait en retard chez sa vieille amie. La sagesse lui conseillait d'abandonner ses préoccupations et de ne point décevoir la marquise qui habitait un charmant petit hôtel particulier en bordure du bois de Boulogne. Pour lui, la vie continuait. Il semblait bien qu'il n'en fût pas de même pour l'innocente victime vers laquelle ses pensées s'envolaient.

L'écrivain ne s'était pas mis au volant de sa Bentley qu'un individu insignifiant, d'apparence malingre dans un imperméable trop vague, retint la portière qu'il s'apprêtait à claquer.

— Monsieur Smith ? (Et, voyant que ce dernier acquiesçait :) Je suis l'inspecteur Malbris. Vous partiez ? Mais je ne vous retarderai pas longtemps... J'ai quelques questions à vous poser au sujet de l'accidentée du quai d'Orsay. On nous a prévenus ce matin de bonne heure. Je serais venu plus tôt, si vous n'aviez oublié de donner votre adresse.

— Est-ce possible ? dit Herbert en levant un sourcil. Je m'étonne dans ce cas que vous m'ayez trouvé si rapidement.

L'inspecteur hocha la tête.

— Je n'ai à cela aucun mérite. La sœur de ma femme habite dans votre immeuble. Rosalie Rosier, au troisième...

— Ah oui ! s'exclama Herbert. Eh bien ! on a raison de dire que le monde est petit.

Machinalement, il avait remonté le col de son loden tandis que le petit inspecteur enfonçait frileusement ses mains dans ses poches.

— Pour bavarder, nous serions mieux dans une ambiance plus clémente, ne trouvez-vous pas ? Il fait un froid de canard ! L'hiver est déjà au rendez-vous...

— La mort aussi, souligna Malbris en soupirant. S'il n'y avait eu cet épais brouillard, sans doute n'auriez-vous pas renversé la petite...

Herbert eut un haut-le-corps. Il s'insurgea :

— Hé ! doucement, inspecteur. Ne me confondez pas avec le type qui l'a laissée pantelante sur le macadam. Je ne suis pas un assassin.

— Cela aurait pu vous arriver.

— Aurait pu, mais ne m'est pas arrivé, insista Herbert qui sentait la moutarde lui monter au nez si bien que, renonçant à introduire le policier chez lui, il l'entraîna vers un bistrot de l'autre côté de la rue. Et moi, je ne me serais pas enfui.

Malbris ne répondit pas. Il attendit d'être attablé devant un calvados pour enchaîner :

— Ainsi vous avez vu toute la scène ?

— Le bolide qui venait de déboucher sur ma gauche m'a obligé à ralentir.

— Quel genre de voiture ?

— Une grosse cylindrée avec des phares puissants.

— Naturellement vous n'avez pas relevé son numéro ?

— Naturellement, non.

— A cause du brouillard ?

— Evidemment. D'ailleurs, tout s'est passé en une fraction de seconde.

— Vous êtes convaincant.

— Je l'espère bien !

— Merci d'aider la police. Dans ce même ordre d'idée, vous ne verrez aucun inconvénient à ce que l'on examine de près la carrosserie de votre Bentley. Question de routine.

— Qu'à cela ne tienne...

Il se levait déjà dans l'intention d'entraîner l'inspecteur à sa suite. Malbris eut un geste apaisant.

— Non... non... Pas maintenant. Je vous enverrai un spécialiste. Moi, je ne m'y connais pas suffisamment.

— Il n'y a pas besoin d'être très malin pour remarquer une aile cabossée ou un phare brisé ! objecta l'écrivain avec ironie. Or, ma voiture est impeccable.

— Tant mieux pour vous...

Le policier venait de finir son calvados. Il tournait le verre dans sa main droite en le regardant d'un air pensif. Une invite à une autre consommation qu'Herbert Smith n'était pas disposé à lui offrir.

— Eh bien ! si vous n'avez plus besoin de moi, inspecteur, vous me permettrez de prendre congé.

Les deux hommes ne se serrèrent pas la main. Un sourd antagonisme les avait séparés dès le premier abord. La façon dont avait été menée la conversation renforçait encore l'impression de gêne qu'éprouvait le romancier. « Soupçonneux et bête », pensa-t-il en haussant imperceptiblement les épaules. Le genre d'homme qu'il ne pouvait souffrir. Aussi s'empressa-t-il de quitter le café sans se préoccuper de savoir si le policier succomberait à la tentation de commander un second verre. Avec sa grosse face rouge et ses yeux globuleux, il avait l'air porté sur la boisson. Une façon comme une autre d'essayer de s'éclaircir les idées !

Rapidement, Herbert gagna sa Bentley. Il démarra en trombe tandis que Malbris, sur le seuil du café, le regardait de ce même air pensif derrière lequel se dissimulaient des sentiments d'inimitié et de convoitise. Non seulement il haïssait les aristocrates et les bourgeois, mais il les croyait capables des pires bassesses. Cet Anglais célèbre et riche que la reine avait cru nécessaire d'anoblir quelque six mois plus tôt ne lui disait rien qui vaille. Il était bien trop sûr de lui.

« Comment faire pour arriver à prouver sa culpabilité ? se dit-il. A n'en pas douter, c'est lui qui a renversé la petite. Pris de remords, il l'aura transportée à l'hôpital en se retranchant derrière un conte à dormir debout ! L'histoire du chauffard qui s'enfuit dans la nuit, on nous la sert à longueur d'année ! Dommage pour vous, Sir Herbert, que vous n'ayez pas fait preuve d'un peu plus d'imagination ! »

Conscient d'avoir en Pierre Malbris un ennemi déclaré, l'écrivain, quant à lui, ne put se résoudre pendant toute la journée à chasser de son esprit la forme blanche qui se fondait dans le brouillard laiteux, comme si elle allait être absorbée par lui, se liquéfier et disparaître. La perfection de ses traits, la douceur soyeuse de ces cheveux, ses longs cils bruns qui ombraient sa joue le hantaient. Trouverait-on qui elle était ? Quelqu'un s'était-il inquiété de sa disparition ?

— Mon petit Herbert, je ne vous ai jamais connu si peu bavard ! Pendant le déjeuner, vous n'avez pas dit deux paroles, et maintenant, vous voilà tout rêveur... J'espérais de vous de l'entrain, des mots d'esprit, le récit de votre dernière aventure. Vous revenez bien de Venise ?

— Pardonnez-moi, s'empressa de répondre l'écrivain à la marquise de Marmandier qui s'appuyait familièrement sur son bras pour gagner le salon où le thé venait d'être servi. Je ne suis pas très en forme aujourd'hui...

Partagé entre le besoin de se confier et le désir de garder pour lui son aventure nocturne, Herbert Smith faisait pâle figure au milieu d'un aréopage de politiciens, de scientifiques et d'artistes, contrairement à son habitude. Brusquement, tous ces gens qui ne manquaient pas une occasion de se vanter ou de s'égratigner mutuellement l'insupportaient. S'il n'avait su qu'il contrarierait beaucoup son hôtesse, il se serait poliment excusé et aurait pris congé rapidement.

La marquise se réjouissait tellement de fêter dignement son entrée dans le quatrième âge !

Habillée par Dior, coiffée à la perfection, maquillée par une esthéticienne qui s'était appliquée à rehausser son teint clair et à harmoniser le fard à paupières avec le bleu intense de ses yeux, Mme de Marmandier avait gardé une grâce de jeune fille et gagné avec les ans une sérénité à toute épreuve. Et c'était justement cette faculté de ne s'attacher qu'aux bons côtés des choses qui rapprochait le romancier de la vieille dame. Le premier enchantait la seconde par ses récits de voyage et ses romans policiers si bien construits qu'on était incapable de trouver l'assassin avant la dernière page. L'Anglais de son côté était assuré de recevoir de sa part les conseils les plus judicieux, d'autant qu'elle était dotée de clairvoyance et de logique.

— Je sens que vous êtes en mal de confidences. Aussi, je vous en prie, ne partez pas avant la fin. Après tout, personne ne vous attend à la maison, hormis votre brave John.

Herbert acquiesça :

— N'est-ce pas le lot des célibataires ?

Elle lui tapota la joue.

— Parce que vous le voulez bien !

Subitement égayé, le romancier se mêla ensuite de meilleure grâce au cercle des invités. A la réflexion, pourquoi se montrait-il si touché par cet accident ? Etait-ce parce que la victime était jeune, jolie, ou parce qu'elle ne sortait pas de son état comateux ?

— Sir Herbert, je suis une de vos plus fidèles lectrices, roucoula une jeune femme élégante, au fort accent alsacien. (Elle le dévisageait d'un œil hardi.) J'aurais donné beaucoup pour être placée à côté de vous pendant le déjeuner. Si je vous racontais ma vie vous pourriez en tirer un best-seller. J'ai été mariée trois fois. A un maharadjah que j'ai quitté pour un toréador célèbre, après des aventures dignes de Rocambole pour aboutir dans le lit d'Hector Léger qui, comme vous pouvez le constater, porte bien mal son nom !

L'heureux troisième mari de cette créature de rêve, qui étalait devant le romancier une gorge laiteuse et proéminente, était en effet un gros homme poussif que l'on redoutait beaucoup parce qu'il avait dans le monde de la finance la réputation d'un requin.

— Savez-vous qu'il est avare ? chuchota l'aguichante Mme Léger. Que voulez-vous, moi, je n'ai jamais eu de chance dans la vie. Je suis de plus dotée d'un sale défaut, je ne résiste pas à une cour assidue...

La proposition ne pouvait être plus clairement exprimée. Herbert eut un sourire railleur. Au demeurant, entretenir la conversation avec cette poupée affriolante avait au moins le mérite de le divertir.

— J'ai l'impression que si j'écrivais votre vie, chère madame, mes lecteurs me taxeraient de tricherie, tant il est vrai que la réalité dépasse souvent la fiction !

— Me permettrez-vous d'aller vous rendre visite un de ces jours ?

— Tout le plaisir serait pour moi, si je ne connaissais la réputation de votre mari. On le dit affreusement jaloux et comme je le comprends !

Anita Léger porta sa tasse de thé à ses lèvres puis la posa avec dégoût sur un guéridon.

— J'aurais préféré un bon whisky.

— Moi aussi, avoua Herbert. En digne Anglais, je devrais pourtant apprécier cette sacro-sainte cérémonie, mais je ne suis pas traditionaliste.

Traversant le vaste salon aux lambris dorés très XVIIIe siècle, Hector Léger se dirigeait vers eux avec des grâces d'éléphant dans un magasin de porcelaine.

Au passage, il trouva moyen de bousculer son hôtesse et de monter sur les pieds du député de la Seine-et-Marne. Après mille excuses, il s'épongea une fois de plus le front tandis qu'il arrivait enfin à la hauteur de son épouse, — une façon de parler, car elle le dominait bien d'une tête !

— Chérie, je crois qu'il serait temps que nous prenions congé.

— Pourquoi ? Serais-tu déjà las ?

— Pas particulièrement, mais il est probable que je veillerai encore très tard, ce soir, tant j'ai de travail.

— Ce qui veut dire que tu t'enfermeras dans ton cabinet et que je me morfondrai devant la télévision ! Merci ! Moi, je reste. D'ailleurs, Mme de Marmandier ne nous pardonnerait pas notre désertion. Elle a prévu un lunch vers 19 heures.

Péremptoire était le ton de la jeune femme. Hector Léger fronça les sourcils et ses lèvres se pincèrent. Il était clair qu'il n'appréciait guère d'être contrarié en public et devant Herbert Smith dont il redoutait le jugement.

— Comment reviendras-tu ? questionna-t-il de sa voix bourrue. Je te rappelle que nous n'avons pris qu'une voiture.

— Oh ! il y a des taxis. Mais Sir Herbert ne refusera pas de me raccompagner, n'est-ce pas ?

L'Anglais s'inclina courtoisement.

— Avec plaisir.

— Dans ce cas...

Hector Léger se dandina sur un pied et sur l'autre, puis il fit demi-tour, après avoir serré sans conviction la main de l'écrivain.

Anita le vit partir avec un soulagement visible. A partir de cet instant, elle manqua totalement de retenue dans ses propos comme dans son maintien, au grand dam de la marquise de Marmandier qui n'aimait ni son langage ni ses manières provocantes. Elle murmura à l'oreille d'Herbert :

— Ne vous laissez pas accaparer par cette petite grue !

— Vous, toujours si indulgente ! ironisa-t-il. Oubliez-vous que vous l'avez invitée ?

— Pas elle, lui. Mais c'était inévitable, il a fallu qu'il l'amène.

— Ne sont-ils pas mariés ?

— Il a fait cette bêtise. Ce que les hommes peuvent être idiots, tout de même !

La vieille dame levait les yeux au ciel d'un air comique. Elle enchaîna :

— Puisque vous lui avez promis de la reconduire, vous ne pourrez pas me faire part de vos soucis ce soir... Téléphonez-moi demain matin.

— Promis, dit Herbert.

Le reste de la soirée se déroula dans la même ambiance à la fois mondaine et décontractée. Vint l'heure du départ. Chacun s'égailla avec de légers rires en faisant preuve de sollicitude vis-à-vis de la charmante hôtesse qui les avait régalés de façon royale.

Galamment, Herbert conduisit Anita Léger jusqu'à sa voiture en la soutenant car elle se tordait les pieds sur les graviers du jardin.

Il veilla à ce que sa cape de vison blanc ne fût pas prise dans la portière, ce dont elle le remercia d'un sourire.

— Ce n'est pas Hector qui aurait des attentions semblables !

— Il a sans doute d'autres qualités...

— Si on peut appeler une qualité un solide compte en banque !

— Vous êtes cynique !

— J'en ai assez, c'est tout. En votre compagnie, je me rends compte davantage encore de la bêtise que j'ai faite. C'est un homme comme vous que j'aurais dû épouser, ajouta-t-elle en se serrant contre lui avec impudence, dans l'attente de le voir céder à la tentation.

Son visage tendu vers lui, elle s'accrochait aux revers de son loden, tandis qu'impassible il mettait le moteur en marche.

— Si vous n'êtes pas très pressé, nous pourrions aller dans une boîte de nuit..., lança-t-elle. A moins que nous allions à « L'Orée du Bois ». Il y a des attractions...

En d'autres temps, Herbert aurait refusé sous un prétexte quelconque. Pourquoi acquiesça-t-il ? La mélancolie est quelquefois cause de laisser-aller. Quoi qu'il en fût, l'écrivain conduisit sa compagne là où elle le désirait.

A peine fut-il installé auprès d'elle devant une bouteille de Dom Pérignon et une montagne de glace surmontée de crème chantilly qu'il le regretta. Belle, Anita l'était incontestablement. D'où venait qu'elle ne lui inspirait qu'une indulgence agacée ? Il se força cependant à un enjouement digne de son entrain. Deux heures venaient de sonner quand ils songèrent à regagner leurs pénates. Une mauvaise surprise attendait le romancier à la sortie. Un individu peu scrupuleux avait au volant de sa propre voiture embouti le phare avant droit de la Bentley. Herbert laissa échapper un juron. Ce n'était pas tant le fait qu'il en serait quitte pour une réparation que les conséquences que cela entraînait. A la vue de ce phare défoncé, il avait pâli. Anita le vit si contrarié qu'elle s'arrêta de minauder.

Déjà, le romancier s'inquiétait de savoir si la maladresse du peu scrupuleux personnage n'avait pas été remarquée par quelqu'un. Mais ni le portier du restaurant ni quelque client attardé n'en avait été témoin. Et l'automobiliste n'avait pas laissé sa carte de visite.

— En voilà une belle affaire ! s'écria Mme Léger qui semblait soudain désireuse de rentrer rapidement chez elle. A Paris, cela arrive tous les jours...

Herbert dédaigna de répondre. Du moins la jeune femme pourrait-elle certifier qu'avant leur entrée à « L'Orée du Bois », sa voiture était en parfait état. Rasséréné, l'Anglais démarra sans plus tarder. S'il eut la tentation de raconter à sa compagne pourquoi l'incident le contrariait, il n'en fit rien. A quoi bon ? Peut-être n'aurait-il jamais besoin de solliciter son témoignage. Il pensait avoir tout de même convaincu l'inspecteur Malbris de son innocence.

Avec le recul d'une nuit pendant laquelle il dormit assez bien grâce à l'absorption d'un somnifère, Herbert Smith jugea ses craintes puériles. Aussi, plutôt que de se précipiter chez son garagiste, décida-t-il de se rendre à l'hôpital pour voir son inconnue.

Elle se trouvait toujours dans le service de réanimation du docteur Broussard. Ce n'était pas l'heure des visites, comme il put le constater sur le grand tableau noir à l'entrée, mais il passa outre. Du reste, on ne l'interpella pas et on le conduisit même jusqu'à la chambre de la blessée.

La tête cerclée de bandelettes blanches, la poitrine à demi nue sur laquelle circulaient les fils de l'électrocardiogramme, elle reposait les yeux clos, la bouche détendue sur un vague sourire. Goutte à goutte, la perfusion se répandait dans ses veines, messagère de vie, sinon d'espoir.

— Elle n'a toujours pas repris connaissance, lui avoua le médecin que le romancier venait de rejoindre dans le couloir. Ce sont les conséquences du choc qu'elle a subi. Son état comateux peut cesser d'une minute à l'autre ou bien se prolonger...

— Combien de temps ? questionna Herbert, plus bouleversé qu'il ne voulait le laisser paraître.

— Je l'ignore...

— L'impuissance de la médecine face à des réactions commotionnelles est toujours aussi grande.

— Cela dépend du tempérament du sujet, de son état général, de ses antécédents.

— Mais elle est jeune...

— Oui. Voilà pourquoi nous ne désespérons pas de la sauver.

— A-t-elle reçu des visites ? Sait-on maintenant qui elle est ?

— Personne ne s'est manifesté.

Au plus profond de lui-même, l'Anglais attendait cette réplique. Mieux, il l'espérait. Si on lui avait dit que des parents avaient accouru à son chevet, s'il avait vu sur la table de nuit un bouquet de fleurs, témoignage d'une pensée, d'une affection, il se serait retiré sur la pointe des pieds. Au lieu de cela, il était maintenant évident qu'il était le seul à s'intéresser à l'inconnue, et par voie de conséquence, il s'en sentait responsable.

— Voyons, il est impossible que personne ne la connaisse. J'ai un appareil dans ma voiture. Me permettriez-vous de la photographier ? Je pourrai ensuite faire passer ce cliché dans différents journaux, tant à Paris qu'en province.

— La police l'a fait.

— Ah !

— Son signalement sera diffusé à la radio et à la télévision. Et puis, j'oubliais... nous avons découvert une médaille de Fatima dans la poche de son burnous, ainsi que ce minuscule agenda où rien n'a été consigné. C'est d'ailleurs pour cela que je me suis abstenu de remettre ces objets à la police. On m'avait annoncé votre visite. Je ne suis pas sans connaître vos exploits, Sir Herbert. Chacun sait que vous avez eu l'occasion d'élucider plusieurs affaires criminelles. On n'hésite pas à voir en vous un nouveau Sherlock Holmes, ajouta le docteur Broussard en souriant. Est-ce pour cela que vos romans ont un tel parfum de véracité ?

Herbert s'avoua secrètement satisfait que sa réputation eût franchi les murs austères de l'hôpital. Il n'y avait bien que l'inspecteur Malbris, ce minus, pour ignorer les services qu'il avait eu l'occasion de rendre à la police française, et même italienne [1].

— Je suis persuadé que vous vous efforcerez d'élucider cette affaire-là aussi.

— A partir d'un agenda vierge et d'une médaille bénite ? Vous ne me gâtez pas ! Mais, merci tout de même de me faire confiance, enchaîna le romancier en rangeant précieusement dans la poche de son pardessus les objets en question.

Du docteur Broussard, il obtint encore la permission de demeurer auprès de la blessée autant de temps qu'il le désirerait. Ce jour-là, il ne resta qu'une petite demi-

---

1. Lire « L'Honneur des Albucci » du même auteur (Presses de la Cité).

heure, cherchant à deviner sur le mince visage un message secret, observant ses mains graciles qui ne s'étaient probablement jamais adonnées à de durs travaux. Quant à sa peau très blanche que ni le vent ni le soleil n'avaient hâlée, elle indiquait pour le moins que ce n'était point une fille du Midi.

Là s'arrêtaient ses déductions.

De retour chez lui, il examina soigneusement le carnet et utilisa même un procédé pour s'assurer que rien n'y avait été inscrit à l'encre sympathique. Et puis, quelque chose d'autre l'intriguait. Cet agenda n'était pas de l'année en cours, mais de l'année précédente. Pourquoi, diable, la jeune femme s'en était-elle embarrassée ? Que représentait-il à ses yeux ? Avait-il une valeur sentimentale ? Dans ce cas, pourquoi ne l'avait-elle pas annoté ?

Les sourcils froncés, l'Anglais écrasa sa Player Special dans le cendrier d'onyx que John lui avait discrètement apporté et il en alluma une autre.

Il aurait déjà voulu être au lendemain pour consulter la presse, tout en reconnaissant que cela ne l'avancerait pas beaucoup. Si quelqu'un se vantait de reconnaître l'inconnue, il s'adresserait à la police et il était probable que cette dernière garderait pour elle les renseignements qu'on lui communiquerait.

Herbert pinça les lèvres. Il ne fallait pas compter sur la collaboration éventuelle de l'inspecteur Malbris. Voilà ce qui l'incita à passer une annonce dans les différents journaux parisiens. Alléchés par la récompense promise, nombreux seraient les individus qui prétendraient reconnaître la blessée et tout savoir de ses antécédents.

— Vous allez au devant d'un échec, objecta John qui redoutait de voir un ramassis de désœuvrés défiler dans l'appartement qu'il entretenait avec un soin jaloux. Sans compter que nous pourrions fort bien nous faire cambrioler...

— Je sais.. mais je ne veux pas risquer de perdre le seul espoir qui nous reste pour des considérations matérielles. Et puis, je ne convoquerai ici que ceux qui m'auront téléphoné en me donnant des précisions succinctes.

Ainsi fut-il fait. Le lendemain, Herbert s'empressa d'acheter *Le Figaro, France-Soir* et *Le Parisien libéré*. Tous trois avaient fait un effort particulier pour que la photo de la blessée put attirer l'attention. Malheureusement, le cliché ne donnait qu'un vague aperçu de ses véritables traits. Le bandage qui encerclait sa tête, ses yeux obstinéments clos n'arrangeaient rien. Quant à la petite annonce passée par le romancier, elle était elle aussi en bonne place.

— Eh bien ! nous n'avons plus qu'à attendre, dit Herbert.

Le volumineux courrier que John venait de poser sur son bureau l'arracha à ses tristes pensées pendant près d'une heure. Ensuite il se décida à consulter les différents quotidiens internationaux que l'*Argus* auquel il était abonné lui adressait régulièrement. Après y avoir jeté un coup d'œil, il s'apprêtait à les repousser, quand un entrefilet dans les faits divers de *La Libre Belgique* attira son attention.

« *On a repêché ce matin dans les canaux de Bruges le corps d'une jeune femme de vingt-cinq ans environ, de taille moyenne, brune aux yeux bleus. On ignore si elle est tombée à l'eau accidentellement ou si on l'a poussée. Rien n'a permis pour l'instant de l'identifier. Elle portait sur elle une médaille de Fatima. Le commissaire Brughels mène l'enquête.* »

— By Jove ! s'écria le romancier. Lisez-vous ce que je lis là, John ?

Il était allé trouver le domestique à l'office et lui montrait l'article.

— Une bien curieuse coïncidence, Sir, je vous l'accorde.

A présent, les deux hommes se taisaient, en proie à la perplexité. Il était évident qu'ils pensaient la même chose. Est-ce que cette histoire de médaille ne valait pas le voyage ?

— Oui, mais... mon annonce ?

— Je puis prendre les messages, si vous le désirez, Sir.

— D'ailleurs, je ne ferai qu'un aller et retour...

Herbert avait l'impression que le voile enfin commençait à se déchirer. Aussi d'un pas allègre alla-t-il préparer ses bagages.

Ce fut à cette minute précise que le téléphone se mit à sonner.

II

— Monsieur Smith ?

— Lui-même, dit Herbert qui venait de décrocher le récepteur.

— C'est au sujet de la petite demoiselle. Je sais des choses... Elles pourraient sans doute vous intéresser.

— Vraiment ?

Bien qu'il tentât de se raisonner, le cœur de l'écrivain battait plus fort, probablement parce que c'était la première personne qui répondait à ses avances. Sensible dès l'abord à son grasseyement, — la voix de l'inconnu était typiquement faubourienne — il tenta d'évaluer son âge. Plus très jeune, certainement.

Il reprit :

— Vous pouvez parler.

— Ben... On ferait mieux de se rencontrer. Rapport à ce que vous avez promis. Donnant-donnant, hein ? Oh ! ce n'est pas que je sois près de mes intérêts, mais si vous voulez pour de bon arriver à vos fins...

— Oui, oui..., coupa Herbert. Où voulez-vous que nous nous rencontrions ? Chez moi ? Dans un café ? Où ?

Il y eut un petit silence à l'autre bout du fil. L'homme voulait bien toucher son argent, mais il avait l'air de se méfier. De quoi ?

— Où ? insista Herbert.

— Dans un jardin...

— Voulez-vous celui du Luxembourg, par l'une des portes de la rue Guynemer ?

— Va pour le Luxembourg, mais tard dans la soirée. Je veux dire juste avant la nuit. Je porterai un foulard rouge. Et vous ? Je voudrais bien pouvoir vous reconnaître...

Les vêtements d'Herbert, particulièrement élégants donc discrets, ne risquaient pas de le désigner à la vue de son interlocuteur.

— Je porterai ostensiblement une bouteille de whisky, décida-t-il. Vous la boirez ensuite à ma santé.

L'autre eut un gloussement amusé :

— Pour ça, faites-moi confiance !

Et la conversation en resta là. Songeur, le romancier raccrocha le combiné. Il n'avait pas hésité à remettre au lendemain son voyage à Bruges. Somme toute, il n'avait qu'un après-midi à attendre. Est-ce que la matinée n'était pas déjà très avancée ? Dans les heures qui suivirent d'autres appels lui parvinrent. Aucun d'eux ne lui sembla digne d'intérêt. L'un émanait d'une femme hystérique qui voyait dans la proposition d'Herbert l'ébauche d'une idylle. Un autre témoignait d'un dérangement cérébral certain. Un troisième tenait plus de la plaisanterie ou d'un pari entre copains que d'un véritable désir d'aider la jeune blessée à retrouver sa famille. Le quatrième seul lui parut mériter quelque attention, mais au moment où l'Anglais allait fixer à sa correspondante un rendez-vous adéquat, celle-ci raccrocha précipitamment. Ensuite, jusqu'à dix-sept heures trente, Herbert demeura en vain près du téléphone.

Comme il s'apprêtait à se rendre au Luxembourg, John intervint :

— N'aimeriez-vous pas que je vous suive à distance ? On ne sait jamais... Un mauvais coup est vite attrapé.

— Qui pourrait en vouloir à ma vie ? s'étonna-t-il. Je me contente de chercher ce que la police essaie d'obtenir de son côté : un indice...

Le valet n'osa pas insister, bien qu'il eût de l'affaire une vision pessimiste. Depuis que les circonstances avaient amené fortuitement l'écrivain à assister à cet accident, il se sentait inquiet, comme s'il y avait quelque chose de faussé au départ.

Sur le point d'insister, il y renonça, car celui qu'il révérait pour son intelligence et sa perspicacité tout autant que pour ses qualités d'homme, regardait fébrilement sa montre.

— Je suis en retard ! Heureusement, je n'ai que la rue à traverser...

Il se précipita sur le palier et s'engouffra dans l'ascenseur en coup de vent. De la fenêtre du salon, John le vit allonger le pas et pénétrer dans le parc.

Brusquement, le ciel s'était assombri. Un léger crachin tombait sur les épaules. Presque de la neige fondue. D'une main, Herbert Smith remonta le col de son manteau. De l'autre, appuyée contre sa poitrine, il arborait une bouteille de Johnnie Walker, étiquette tournée vers l'avant. Une de ses voisines qui le croisa le regarda avec une stupeur non dénuée de blâme, tandis que poliment il soulevait son feutre.

« Je vais passer pour un poivrot ! songea-t-il en souriant. Il n'en faut pas plus pour détruire une réputation sans tache ! »

Le vent lui soufflait au visage, emportant dans ses tourbillons les feuilles que les derniers rayons du soleil avaient desséchées avant de les priver de vie. Elles faisaient entendre une dernière plainte sous les pas d'Herbert qui les soulevait du bout de ses chaussures.

Il n'en fallut pas plus pour lui rappeler son enfance, quand, perdu dans ses pensées, les mains dans les poches, il parcourait les allées du grand parc de « High Manor » où lord Arthur Lisley lui permettait de s'ébattre en compagnie de ses chiens. C'était peut-être en regardant valser les feuilles mortes dans l'or roux de l'automne qu'il était devenu poète, puis écrivain. Qui sait ? Et puis il y avait le sourire si doux de lady Eleonor dont il était tombé amoureux alors qu'il ne portait encore que des culottes courtes. Cette femme l'avait rendu indulgent envers toutes les autres... Il les comprenait si bien !

— Trop bien, Sir ! disait John qui le traitait visiblement de don Juan invétéré.

Un petit sourire étira les lèvres de l'Anglais sous la fine moustache blonde. Un peu plus et il aurait oublié ce qu'il était venu faire dans les jardins du Luxembourg ! Une brève éclaircie qui ourlait de noir les nuages à la cime des arbres le rappela à la réalité. Les passants s'étaient si raréfiés qu'il se trouva soudain ridicule avec sa bouteille à la main. D'homme au foulard rouge, il n'était point question.

Herbert fronça les sourcils. Il avait horreur que l'on se moquât de lui. Apparemment, l'inconnu lui avait posé un lapin. Désorienté, il demeura un moment immobile, scrutant les alentours de ses yeux perçants, puis à pas lents, il fit demi-tour. Il y avait bien un banc, là-bas, occupé par un vieillard qui paraissait somnoler. Comment pouvait-il y avoir des gens assez stoïques pour s'asseoir dans un jardin public par ce froid et cette humidité !

En s'approchant, Herbert vit qu'il s'agissait d'un clochard à son manteau élimé et à son chapeau cabossé. Le menton appuyé sur la poitrine, l'homme dormait. Du moins paraissait-il dormir... Ce fut le sang qui s'égouttait sur ses mains qui alerta le romancier. Et au même moment, il aperçut le foulard rouge dans l'échancrure du col. Les yeux écarquillés, l'Anglais demeura un bref instant bouche bée, puis il se précipita sur son mystérieux correspondant, le secouant par l'épaule.

— Monsieur ! Monsieur ! M'entendez-vous ?

Pour toute réponse, le cadavre bascula dans ses bras.

Tout de suite, Herbert comprit qu'on l'avait poignardé, bien que l'arme du crime eût disparu. Rapidement alors, il le fouilla. Si l'on en jugeait à son apparence, on ne l'avait pas tué pour le voler. D'ailleurs, il portait encore ses papiers. Sans hésiter, l'Anglais en prit connaissance dans le jour gris et fuyant qui d'une seconde à l'autre serait remplacé par la nuit, une de ces nuits rendues plus opaques encore par la pluie. Au même moment, il entendit des pas pressés et des voix qui s'interpellaient.

Un homme entouré de gardiens de la paix était apparu au bout de l'allée. S'efforçant au calme, Herbert les attendit de pied ferme. Il avait déjà reconnu son ami l'inspecteur Malbris. Que diable venait-il faire en ces parages ?

— Vous, monsieur Smith ! (Il s'obstinait à ignorer son titre.) Vous êtes bien la dernière personne que je m'attendais à trouver ici !

Son regard qui allait du cadavre au romancier en disait long sur ses sentiments. Il triomphait. Nulle pitié pour l'homme qui se vidait de son sang sur le gravier ne l'atteignait. Il ne voyait déjà que le flagrant délit...

Le romancier haussa les épaules. Personne n'oserait sérieusement l'accuser de meurtre, mais il aurait aimé savoir pourquoi l'inspecteur se trouvait justement sur les lieux.

— Ma belle-sœur... Vous savez bien, votre voisine du troisième... Elle tricotait près de la fenêtre, pendant que je jouais au train électrique avec ses enfants... oui, aujourd'hui, je ne suis pas de service. Elle s'est rendu compte qu'un drame se jouait ici. Le temps de téléphoner à des collègues du commissariat de la rue Jean-Bart et voilà.

Le naïf orgueil de l'officier de police acheva d'exaspérer Herbert Smith.

— On serait tenté de vous comparer à la Providence si vous n'étiez arrivé après... après la mort de ce pauvre innocent !

— Innocent... Innocent... Est-ce que vous en savez quelque chose ?

Sa logique à l'emporte-pièce avait au moins le mérite d'ouvrir de nouveaux horizons et de susciter des questions précises. Pourquoi le clochard qu'était le sieur Henri Barge avait-il été assassiné ? Avait-il surpris une conversation, assisté à une scène insolite d'une importance capitale ? Capitale pour qui ? Si Herbert se taisait, Malbris serait incapable d'établir un rapport entre ce crime et l'accident dont toute la presse parlait. Cette certitude lui fut douce. Ce qu'il savait, il tenait à le garder pour lui. Pas davantage il ne préciserait avoir donné rendez-vous au dénommé Barge.

— Peut-être pourriez-vous nous remettre ses papiers, grogna le policier en s'avisant qu'Herbert ne songeait pas à les lui tendre.

— Bien sûr. Excusez-moi...

Son ton affable, la désinvolture avec laquelle il lui faisait face irritèrent l'inspecteur plus qu'ils ne l'amadouèrent. D'un pas vif et sur un ton qui n'admettait aucune réplique, ce dernier entraîna son interlocuteur hors du parc. Déjà la sirène de l'ambulance qu'un des deux agents avait appelée ameutait le quartier. Suivait le panier à salade. Malbris eut un sourire féroce.

— Désolé, monsieur Smith, mais cette fois-ci vous n'échapperez pas à un interrogatoire sérieux. (Et il l'incita à monter dans le fourgon cellulaire.) Après vous...

— A vous entendre, inspecteur, il serait interdit de se promener dans un jardin public à la nuit tombante ! ironisa le romancier qu'une foule de badauds entourait. (Puis, à l'adresse de John, accouru à son tour sur les lieux :) Ne faites pas cette tête-là, voyons ! Prévenez plutôt mon ami Jacques d'Orsonval, voulez-vous ?

Comme le valet acquiesçait, l'officier de police releva :

— Jacques d'Orsonval... de la D.S.T. ? [1]

— Lui-même ! s'écria Herbert qui semblait beaucoup s'amuser, alors même que la mine de l'inspecteur s'allongeait. Je vois que nous avons des amis communs !

— N'espérez pas vous en tirer en faisant jouer vos relations, Sir Herbert. Incorruptible, j'irai jusqu'au bout.

— Jusqu'au bout, peut-être... Mais de quoi ?

Ce diable d'homme se jouait visiblement de lui. Pourtant, rirait bien qui rirait le dernier ! La haine que

1. Direction de la Sécurité du Territoire.

l'écrivain lui inspirait, bien que sans motif, rendait Malbris insensible à la prudence la plus élémentaire. Dans les locaux de la P.J., il fut ramené à une plus juste vision des choses par le commissaire Thomas. Certes, on avait trouvé Herbert Smith auprès d'un cadavre... Seulement, le fait qu'il eût pris le temps de consulter les papiers de la victime témoignait plutôt en sa faveur. Et puis, enfin, ce n'était pas un homme à trucider son prochain. Ne jouissait-il pas d'une réputation d'intégrité qui avait franchi les frontières ?

Autant dire qu'Herbert Smith ne coucha pas au violon ce soir-là et qu'il n'eut même pas besoin de l'intervention de son avocat, celle de Jacques d'Orsonval, le chef de la D.S.T. en personne, ayant amplement suffi à convaincre le commissaire Thomas de la faute impardonnable qu'avait commise le petit inspecteur en prenant ses désirs pour des réalités.

— Malbris, lui dit Thomas le lendemain, vos états de service ne sont pas si brillants que vous puissiez vous permettre de telles bévues. Une de plus, et je ne réponds pas de votre avancement. Dieu sait pourtant que vous y tenez, n'est-ce pas ?

— Evidemment, chef...

— Eh bien ! dorénavant, laissez Sir Herbert tranquille, compris ?

— Mais, chef, sa voiture est cabossée !

— Qu'est-ce encore que cette histoire ? Quel rapport avec le sieur Barge ? Où voulez-vous en venir ?

Malbris pensa que s'il avait une chance de se racheter, il ne devait pas la laisser passer. Aussi expliqua-t-il volubilement que le romancier avait déjà une affaire sur les bras. L'accident du quai d'Orsay, c'était lui... Curieux, non ?

Thomas demeura interdit. A son tour, il se trouvait embarrassé. Il fallait bien tout de même que la justice fût rendue. Et si vraiment, la voiture de l'Anglais portait les traces d'un choc, il faudrait l'interroger sérieusement. Des êtres comme Malbris lui inspiraient du dégoût, mais il devait reconnaître que c'était souvent grâce à des gens de cette sorte que l'ordre finissait par régner.

Pour ne pas perdre contenance devant son subalterne, il le renvoya d'un geste large de la main, tout en lui assurant qu'il s'occuperait personnellement de la question.

Ce fut seulement en fin de soirée qu'il se décida à rendre visite au romancier. Il n'était pas particulièrement à l'aise quand il sonna à la porte de l'appartement. S'étant sermonné avant de partir, il était sûr de ne pas employer de formules lapidaires, ce qui était souvent le cas, lorsqu'il avait affaire à des truands, mais il en viendrait tôt ou tard à des questions précises, et alors là...

Quand John lui ouvrit, il eut tout de suite l'impression que le domestique, sous des dehors amènes, le regardait d'un air goguenard. Et, de fait, il ne tergiversa pas pour lui annoncer que Sir Herbert avait pris, à l'aube, le premier train pour la Belgique, un voyage qu'il remettait depuis longtemps.

— Et qu'il a trouvé fort à propos de faire justement aujourd'hui ! s'exclama le policier que le dépit hérissait.

— Ne le prenez pas en mauvaise part, monsieur le commissaire, mais Sir Herbert avait besoin de se changer les idées.

— Dites plutôt : de changer d'air ! Enfin... Combien de temps sera-t-il absent ?

— Je l'ignore.

— Vous devez bien avoir une adresse où lui expédier son courrier ?

— Pas même. Il me téléphonera et je le tiendrai informé.

— Dans ce cas, ne manquez pas de lui dire que je l'attends à mon bureau dans les plus brefs délais. Ajoutez qu'il pourrait lui être préjudiciable de ne pas tenir compte de mes avertissements. C'est un conseil d'ami..., crut-il bon de conclure. (Il n'avait pas fait un pas sur le palier qu'il se retourna :) Dites-lui aussi que j'ai fait faire un constat concernant les dégâts que sa voiture a subis. Qu'il ne prenne pas tout ce qui touche à l'accidentée du quai d'Orsay à la légère...

John hocha la tête. !

— Croyez-moi, monsieur le commissaire, cela ne risque pas d'arriver.

Herbert Smith en effet, non seulement n'oubliait pas le drame qui avait jalonné sa route mais il espérait bien lui trouver une explication. Le clochard du Luxembourg affirmait connaître la blessée. Il en était mort. Donc, des personnages douteux guettaient dans l'ombre, prêts à intervenir pour que l'identité de l'inconnue ne fût pas révélée.

Paradoxalement, c'était le coma dans lequel elle était plongée qui la mettait à l'abri de ses ennemis. Tant qu'elle ne reprendrait pas connaissance, elle ne leur nuirait pas. Mais ensuite ? Herbert se reprocha de ne pas avoir alerté le docteur Broussard. Il aurait dû lui recommander la plus grande discrétion, au cas où la jeune fille reprendrait ses esprits. Quant à la police, il pensait qu'elle aurait assez de bon sens pour ne pas le claironner sur les toits avant de l'avoir interrogée.

En débarquant sur le quai de la gare de Bruges, le romancier soupira. Il avait conscience d'être parti trop vite. Le moyen de faire autrement avec ce policier de malheur qui lui collait aux trousses de façon si désobligeante que c'en était révoltant ! Du commissaire Brughels auquel il comptait demander un rendez-vous dès qu'il se serait trouvé un hôtel, Herbert espérait un peu plus de compréhension et de chaleur humaine.

L'écrivain avait déjà séjourné à Bruges plusieurs années auparavant ; il en avait gardé une impression de charme mélancolique et de douceur, comme si le temps, ici, se fût arrêté. Une brume légère donnait, ce matin-là, aux maisons et aux canaux ce flou artistique que ne dédaignent pas les photographes en renom. Un timide soleil fléchait d'or les saules pleureurs qui se penchent avec tant de sollicitude sur l'eau profonde et noirâtre. Miroir au tain rongé, que de pignons droits ou à redans, que de façades gothiques vous reflétez !

Le fiacre qu'Herbert avait pris pour aller jusqu'au Markt était noir comme l'habit de son cocher. Le pas du cheval résonnait sur les pavés disjoints des rues étroites.

— Si vous le voulez bien, Monsieur, je vous ferai faire un petit tour de ville...

Le voyageur acquiesça, l'âme engourdie par une sorte de torpeur bienheureuse, avec la sensation de plonger dans un passé vieux de sept siècles. Dormant sur ses trésors comme un lion repu, Bruges est bercée par le lent va-et-vient de ses bateaux à moteur et le carillon de son beffroi. Midi sonnait lorsque l'archaïque attelage s'arrêta sur le Markt. Cette grand-place est souvent pavoisée d'oriflammes qui portent le nom et le millésime de ses belles demeures. L'écrivain se dirigea tout droit vers le Palais provincial qui abrite le bureau des Postes d'où il envoya à John un télégramme laconique : « Tout va bien et vous ? »

Suivait l'adresse de l'hôtel que le cocher lui avait recommandé : « Erasmus » Wollestraat 35...

— A deux pas du Markt, Monsieur. Vous verrez, vous y serez comme chez vous.

— Mieux, j'espère ! J'y aurai au moins la tranquillité, marmonna-t-il, conscient d'avoir laissé derrière lui des questions sans réponse et des policiers déroutés, parce qu'incapables jusqu'alors de faire des rapprochements entre l'assassinat de l'homme au foulard rouge et l'accident du quai d'Orsay. C'était cela, pensa-t-il, qui lui donnait une longueur d'avance sur eux, bien qu'il fût tourmenté par l'idée de s'égarer en chemin.

Un quart d'heure plus tard, il prenait possession de sa chambre. En se penchant à la fenêtre, il pouvait apercevoir d'un côté la haute silhouette du beffroi flanqué de ses tourelles dentelées, avec les halles en soutènement, et, de l'autre, le Rozenhoedkaai, rendez-vous des peintres et des amateurs de souvenirs, ainsi que le Dyver ombragé de tilleuls, aux riches maisons de maître dotées de carreaux en cristal dit « de Venise ». Son guide n'avait pas manqué de les lui signaler au passage.

Des splendeurs qui semblaient mourir lentement comme les feuilles de l'automne encore accrochées à leurs ramures...

Décidé à ne pas se laisser envahir plus longtemps par une nostalgie au demeurant bien compréhensible, Herbert descendit déjeuner à la « taverne » de l'hôtel. Ensuite, parce que le temps demeurait beau, d'une douceur sans égale, il se rendit à pied jusqu'au bureau principal de police où il demanda à parler au commissaire Brughels.

L'officier de service lui jeta un regard soupçonneux.

— Motif de votre visite ?

Pour toute réponse, le romancier lui tendit l'article qu'il avait découpé dans *La Libre Belgique*. L'autre lui jeta un regard surpris, puis il se leva pesamment, disparut et revint quelques instants plus tard, le visage tout aussi fermé.

— Entrez.

Appuyé à son bureau, Brughels le regarda pénétrer dans la pièce en tentant de le jauger.

— A qui ai-je l'honneur ?

— Herbert Smith, répondit l'arrivant en lui tendant son passeport, histoire de se présenter sans phrases inutiles.

Son interlocuteur leva vivement les yeux après y avoir jeté un coup d'œil.

— Anglais ?

— Oui.

— Depuis longtemps à Bruges ?

— Depuis ce matin... Je suis venu tout exprès de Paris pour obtenir quelques renseignements concernant la jeune femme que vous avez repêchée dans les canaux. De quel côté, au fait ?

— Près du béguinage, dans le Minnewater, pour être plus précis. Je suppose que vous connaissez Bruges, Sir ?

— Il y a bien longtemps que je n'y ai pas séjourné, mais je me souviens de votre « Lac d'amour », c'est bien ainsi que vous nommez ce charmant endroit, n'est-ce pas ?

Le commissaire inclina la tête.

— Ce jour-là, il n'avait plus rien de charmant. Le corps flottait au ras de l'onde, entouré d'un ballet de cygnes aussi intrigués que les badauds. Elle avait vingt ans et s'appelait Maria Becker. Apparemment, il ne s'agit pas d'un crime, mais d'une erreur. La jeune personne se droguait. Elle aura confondu l'eau et la terre ferme. En quoi cela vous regarde-t-il ?

— Je crains de ne pouvoir répondre à votre question sans paraître extravagant.

— Allons donc !

— C'est le fait que l'on ait trouvé une médaille de Fatima dans la poche de cette jeune femme qui m'intrigue.

— Vous pensez qu'elle aurait dû la protéger ? ironisa le commissaire.

— Une autre jeune femme qui portait une médaille semblable a été renversée par une auto devant mes yeux. Je cherche à comprendre...

Brughels haussa un sourcil.

— Vous avez du temps et de l'argent à perdre, cher monsieur. N'êtes-vous pas chrétien ? Ne croyez-vous pas aux miracles de Fatima ?

Il s'égarait complètement, mais Herbert Smith ne chercha pas à le ramener à une plus saine vision des choses.

— Mademoiselle Becker avait-elle de la famille ?

— Oui, une sœur.

— Verriez-vous un inconvénient à me communiquer son adresse ?

— J'ignore si elle acceptera de vous recevoir, mais la voici...

Rapidement, il la griffonna sur un vélin :

— Hildegarde Becker, Heilige Geeststraat 22.

Avant qu'Herbert ne prît congé, il lui lança encore :

— J'ai vu sur votre passeport que vous êtes écrivain.

Est-ce un livre sur les religions que vous comptez écrire ?

Son interlocuteur s'efforça au plus grand sérieux pour affirmer que là était bien son but, en effet. Et sur ce, il se retira comme il était venu, sans dévoiler ses véritables motivations.

Mlle Becker ne rentrait jamais de son travail avant dix-neuf heures trente, il l'apprit par la logeuse de la jeune fille, une femme corpulente au visage rougeaud qui ne respirait pas pour autant la bonhomie.

— Vous n'êtes pas de la police, au moins ? Parce que, dans l'immeuble, on commence à en avoir assez de toutes ces allées et venues. Cette petite Maria, ce n'était pas une sainte. Il paraît qu'elle se droguait ? Voilà ce qui arrive quand on fréquente des bons à rien... Aller mourir dans le Minnewater, est-ce que ce n'est pas malheureux !

— Très, affirma Herbert. Quant à vos craintes... Non, je ne suis pas de la police. A ce soir, donc...

Il souleva poliment son feutre et alla flaner le long des canaux, avant de se décider à rentrer à l'hôtel.

Quand le temps se traîne inexorablement, il est souvent le prélude à une période de grande agitation. Son entretien avec Hildegarde Becker lui apporterait-il des éléments concrets ?

Le romancier s'installa au bar en maudissant son désœuvrement. Il aurait pu aller visiter un musée, le Groeninge, par exemple, célèbre dans le monde entier pour sa collection d'art flamand ancien, d'autant qu'il se trouvait à deux pas, mais son esprit était trop « ailleurs » pour admirer une Annonciation ou une Descente de Croix, fussent-elles signées Memling ou Van Eyck.

« Demain, pensa-t-il. Demain, si tout va bien, juste avant de repartir... »

C'était une promesse qu'il ne tiendrait pas, il le savait, pour peu que sa conversation avec la sœur de la jeune noyée fût positive, car, dans ce cas, il ne ferait pas long feu à Bruges. Ses résolutions faiblissaient-elles ? Il lui suffisait de revoir le doux visage de l'inconnue pour ranimer son énergie. By Jove ! il finirait bien par découvrir son identité !

A 19 h 15, il pénétra de nouveau au 22 de la Heilige Geeststraat et monta jusqu'au minuscule appartement que Mlle Becker avait partagé avec sa sœur, et qu'elle occupait seule désormais, lui avait spécifié le commissaire Brughels. A son grand contentement, la jeune fille était déjà arrivée. Elle lui ouvrit sans manière, l'invitant spontanément à pénétrer dans la petite pièce qui, apparemment, lui servait de salle de séjour. Bien que modestes, les meubles reluisaient. Un bouquet de glaïeuls illuminait l'ensemble, tel un feu d'artifice.

— Vous êtes venu pour me parler de Maria, monsieur ? questionna Hildegarde en français avec un fort accent belge, après l'avoir convié à s'asseoir.

De ses grands yeux bruns pailletés d'or, elle le regardait avec confiance, avec espoir même. Le cerbère dont elle était la locataire ne l'avait donc pas prévenue contre lui ?

Herbert sourit.

— Oui, mademoiselle. Mais hélas ! je ne vous apporte pas d'éléments concrets. Pour tout dire, je ne la connaissais pas. J'ignorais tout de son existence jusqu'à ce que cet article me tombât sous les yeux.

Elle jeta un regard rapide à ce dernier, puis, en soupirant :

— Il y en a eu des dizaines, tous plus laconiques les uns que les autres. C'est que, voyez-vous, personne ne sait comment l'accident est arrivé.

— Car pour vous, il s'agit d'un accident ?

— Sans nul doute, affirma-t-elle avec véhémence. Maria était malade. Elle abusait de tranquillisants.

— A son âge !

— Hélas ! Elle ne voulait pas consulter de médecins. Elle ne me l'a jamais dit, mais... peut-être se croyait-elle atteinte d'un cancer.

— Des tranquillisants ? Ne serait-ce pas plutôt du hasch ou du L.S.D. ?

Hildegarde rougit.

— Vous avez lu le rapport de police.

— En vérité, mademoiselle, je suis uniquement intrigué par le fait que votre sœur portait sur elle une médaille de Fatima. Pourriez-vous m'expliquer pourquoi ?

— Rien de plus simple. L'année dernière, nous sommes allées toutes les deux au Portugal en voyage organisé. A Fatima, nous avons fait provisions de souvenirs religieux, — dont une dizaine de médailles — que nous destinions à nos amies. Ce qui est amusant, c'est que nous n'avons pas attendu d'être de retour à Bruges pour les distribuer en cours de route !

— A qui ? Vous en souvenez-vous ? Votre réponse est pour moi d'un intérêt capital, insista Herbert qui sentait son cœur battre plus fort.

— Oh ! A une vieille dame qui voyageait avec nous et qui avait égaré la sienne. Au chauffeur du car... A une hôtesse de l'air qui nous avoua n'avoir jamais eu le temps de se rendre à Fatima et qui semblait en être sincèrement désolée. Puis à Paris, sur un quai de gare impersonnel et froid, à une jeune étrangère, une Allemande ou une Autrichienne, je ne sais... Elle était là, au milieu de ses bagages, et semblait perdue. Nous lui avons donné une médaille. Eh bien ! le croiriez-vous, dans les trois minutes qui suivirent, elle se trouva un porteur, ce qu'elle n'osait plus espérer. Nous l'avons croisée, tandis que nous allions prendre le train pour Lille. Inutile de vous dire que nous avons eu droit à un ravissant sourire !

— Pourriez-vous me décrire ses vêtements ?

— Ses vêtements ? s'étonna Hildegarde. Ma foi...

— Réfléchissez. Il en va d'une vie. Probablement de la vie de cette jeune fille que vous n'avez qu'entrevue.

Mlle Becker ouvrit de grands yeux. Son visage qui gardait les rondeurs de l'adolescence, tout tacheté d'éphélides, était si franc qu'on pouvait y lire la fluctuation de ses pensées.

— Auparavant, me direz-vous pourquoi vous me posez toutes ces questions ?

Il n'était pas dans l'intention d'Herbert de tergiverser. Il lui raconta les circonstances du drame qui s'était déroulé devant ses yeux quelques jours plus tôt. Comment il était venu au secours d'une inconnue qui ne portait sur elle qu'un petit agenda vierge et une médaille de Fatima.

— Je cherche qui elle est.

— N'est-ce pas de la folie ? hasarda Hildegarde. Et vous pensez que cette médaille pourrait être « notre » médaille ?

— Sincèrement, oui. C'est pourquoi j'attache de l'importance à la manière dont cette jeune personne était vêtue.

— Elle me paraissait une personne très soignée, très riche, même. Il n'y avait que de voir le burnous immaculé qu'elle portait, les gants et les chaussures as...

— Répétez ce que vous venez de dire !

Herbert s'était levé si vite que sa chaise avait basculé. Il la ramassa d'un geste impatient.

— Vous avez parlé d'un burnous ? (Et comme elle acquiesçait, presque effrayée par l'état d'agitation qui s'était emparé de lui :) Blanc ?

— Oui. Cela, je m'en souviens bien. De ses valises aussi. En cuir fauve avec un monogramme doré. L. P. ou L. B... L. B., plutôt. C'était le 12 octobre.

— D'où venait-elle ?

— Je l'ignore. Mais elle se rendait en Angleterre.

— Seule ?

— Bien sûr, sinon, elle n'aurait pas eu besoin d'un porteur !

Devant sa logique, Herbert s'inclina. C'est qu'il n'en croyait pas ses oreilles ! Non seulement il savait que sa belle endormie s'était trouvée en transit à Paris le 12 octobre de l'année auparavant, mais il connaissait à présent ses initiales ! De quoi rêver !

— Ma petite Hildegarde ! dit-il familièrement, vous

m'avez donné une très grande joie. Je vous en serai éternellement reconnaissant. Que savez-vous d'autre ?

— Rien, malheureusement !

— Eh bien ! je m'en voudrais d'abuser de votre temps. Je ne vous convie pas à dîner, car je compte reprendre un train de nuit pour la capitale française. Je ne vous enverrai pas de fleurs non plus. Vous en avez de superbes ! Achetez-vous une robe, mon petit. Cela suffira-t-il ?

Joignant le geste à la parole, il avait sorti généreusement quelques billets.

— Oh ! Je ne sais si je dois accepter !

— N'ayez pas de honte. Vous ne me reverrez probablement jamais. Désormais, Bruges aura pour moi votre minois... Si frais, si innocent... Ne faites pas comme votre sœur. Ne confondez pas la terre et l'eau... Ne prenez pas la vie par le mauvais côté.

— Maria était perpétuellement inquiète. Nous étions comme Jean-qui-pleure et Jean-qui-rit ! On ne se refait pas, monsieur. Votre robe, je vais aller l'acheter dès demain, et je la mettrai dimanche prochain pour aller danser avec mon fiancé.

— Voilà qui est bien, dit Herbert, ému. Adieu, Hildegarde.

— Adieu, monsieur.

Il ne mentait pas en disant que pour lui Bruges aurait toujours le charme de la petite Becker. Cette dernière aurait pu servir de modèle à Van der Weyden pour l'une de ses fameuses Madones.

***

Avec quel nouvel enthousiasme notre voyageur reprit le train pour Paris au risque d'encourir les foudres de l'inspecteur Malbris qui n'avait certainement pas perdu son temps pendant son absence !

L'aube se levait quand il posa ses valises dans l'entrée de son appartement. Il s'était efforcé de ne pas faire de bruit, mais il vit presque aussitôt de la lumière filtrer sous la porte de la chambre de son fidèle valet.

— Est-ce vous, Sir ? questionna celui-ci en apparaissant sur le seuil, le cheveu en bataille. (Il acheva d'enfiler sa robe de chambre dont il noua prestement la ceinture.)

— Oui, dit Herbert, amusé par les efforts qu'il faisait pour retrouver un aspect extérieur digne de ses fonctions. Je vous ai réveillé...

— A vrai dire, j'espérais votre venue, tout en la redoutant. Peut-être auriez-vous mieux fait de rester à Bruges. J'ai bien peur qu'ici la police ne vous laisse pas les coudées franches.

— Malbris, toujours lui ? lança Herbert, désinvolte. Je le materai.

— Il y a aussi le commissaire Thomas. Il s'avère plus retors que vous ne le pensiez. L'aile cabossée de la Bentley ne parle pas en votre faveur. Il ne vous lâchera pas tant que vous ne vous serez pas expliqué.

— Seigneur ! Que de gens bornés ! Rien d'autre ?

— Si. Un énergumène décidé à vous approcher par tous les moyens. Il a passé sa journée d'hier à vous attendre sur le palier. Oh ! il n'a rien d'un voyou. Ce serait plutôt comme s'il redoutait quelque chose ou quelqu'un. J'ai tenté de le faire parler. En vain. En voilà un qui aurait une sale affaire sur le dos que je n'en serais pas étonné. Il a laissé une enveloppe pour vous. Elle est sur votre bureau. Il m'a fait promettre de vous en parler dès votre arrivée, je tiens parole. D'après ce qu'il m'a dit, vous vous seriez déjà rencontrés en Autriche. A Heiligenblut, je crois. Il affirme qu'une grande amitié vous lie à ses parents, monsieur et madame Lund.

— Lund ? En effet, en effet !

L'écrivain s'était dirigé vers son cabinet de travail. D'un regard las, il inspecta le large bureau de bois sombre où trônait une imposante machine à écrire et les feuillets épars de son dernier manuscrit. John respectait à merveille ses consignes. Rien n'avait été touché, bien qu'une pile de lettres et une grande enveloppe jaune d'une épaisseur alarmante y eussent été ajoutées.

— Avez-vous jeté un coup d'œil sur le courrier ?

Le valet inclina la tête.

— Des factures, Sir. Seulement des factures.

— Et cette enveloppe !

D'un geste agacé, l'Anglais s'en était emparé. Il la décacheta à l'aide d'un coupe-papier, plus accablé encore à la vue du journal intitulé : « Souvenirs d'Eric Lund ». Une carte de visite l'accompagnait.

« Je vous en prie, permettez-moi de vous voir... Vous seul pouvez m'aider. Ma mère affirme que je ne ferai pas appel à vous en vain. »

Suivaient le nom d'un hôtel dans le périmètre du Luxembourg et un numéro de téléphone. Un énorme « urgent » tracé à l'aide d'un feutre rouge marquait la première page de cette « confession », car il s'agissait bien d'une confession, comme Herbert Smith le comprit en lisant les premières lignes. Il soupira :

— A ma place que feriez-vous ? Iriez-vous dormir ou vous plongeriez-vous dans la lecture de ces feuillets ?

— Avez-vous sommeil ?

— Non, pas vraiment.

— Alors, peut-être qu'avec un peu de café...

— Va pour le café ! s'écria Herbert en se débarrassant de son loden et en s'installant à son bureau. Tout de même, qu'avais-je besoin de ce nouveau problème ? N'ai-je pas assez d'ennuis comme cela ?

— Il y a peut-être relation de cause à effet ? Peut-on savoir ?

— Vous êtes très fataliste, n'est-ce pas, John ?

Le valet resserra la ceinture de son peignoir.

— Je pense seulement que tout est écrit.

Sur cette parole sentencieuse, il se retira dans sa cuisine. Quelques instants plus tard, il avait installé auprès du romancier une table roulante où voisinaient une cafetière électrique, un déjeuner en porcelaine de Sèvres et des toasts croustillants nappés de confiture d'abricots. Puis, discrètement, il débrancha le téléphone. Avant de refermer la porte du cabinet derrière lui, il chercha à saisir l'expression d'Herbert Smith.

Toute impression d'ennui ou de fatigue avait disparu de son visage. Déjà la curiosité l'emportait...

III

— John ! John !

Le valet qui s'était assoupi dans un fauteuil du salon s'éveilla en sursaut, satisfait de ne pas s'être écouté en retournant se coucher comme il en avait d'abord eu l'intention. Dame ! quand le romancier s'était installé à sa table de travail, il pouvait être à peine six heures. Un coup d'œil au cartel sur la cheminée lui indiqua qu'une heure trente s'était écoulée depuis.

— John !

— Vous m'avez demandé, Sir ? répliqua celui-ci d'autant plus mollement qu'il n'avait pas tout à fait recouvré ses esprits.

— Incroyable, John ! Extraordinaire ! Ah ! comme vous avez raison de dire que tout est écrit ! Je n'en crois pas encore mes yeux ! Et si je m'emballais un peu trop ? Non ! il y a des coïncidences troublantes, et puisque le hasard n'existe pas...

En proie à une agitation anormale pour un homme aussi pondéré, Herbert allait et venait dans le salon, contournant les tables basses et les fauteuils Louis XV tout en se passant la main dans les cheveux, signe chez lui de grande perplexité.

— Le récit que Monsieur vient de lire lui aurait-il fait découvrir quelque chose d'intéressant ?

L'écrivain se laissa tomber sur une bergère. Pendant

sa lecture, il avait tiré sur sa cravate et déboutonné son col de chemise, roulé ses manches au-dessus du coude et fumé cigarette sur cigarette. Une barbe naissante commençait à maculer ses joues, la fatigue creusait ses traits, mais il y avait un tel éclat dans son regard, une telle espérance que John en fut presque inquiet.

Quand il avoua avoir découvert l'identité de sa belle endormie, le valet de chambre fut tout à fait alarmé.

— Je m'en voudrais de briser votre enthousiasme. Pourtant... Etes-vous sûr de ne pas prendre vos désirs pour des réalités ?

Herbert se leva d'un bond.

— Je comprends vos réticences. Vous êtes un homme raisonnable, tandis que je laisse volontiers vagabonder mon imagination, question de tempérament... Cependant, je veux rapidement vous exposer les faits. Le jeune Eric Lund se considérait pratiquement fiancé à une certaine Ludmillia von Bremer. Un jour, celle-ci décida de partir en voyage. Il s'agissait pour elle de prendre quelques vacances en Ecosse, rien de plus. Ayant atteint pendant ce court laps de temps sa majorité, elle se proposait au retour d'épouser Eric, malgré la ferme opposition de son tuteur. Il faut vous dire que la fortune des Bremer était à elle seule un obstacle majeur à cette union. Ajoutez-y une nette différence de milieu et vous vous étonnerez moins d'apprendre que Ludmillia ne revînt jamais de ce petit voyage d'agrément... pendant lequel elle rencontra, paraît-il, l'homme de sa vie en la personne d'un laird écossais du comté d'Inverness. Vous me suivez, John ?

— Bien entendu, Sir. Et elle l'épousa ?

— Oui, sans un mot d'adieu au fils de mes amis Lund.

— Quelle désinvolture !

— Ce n'est pas tellement compréhensible, n'est-ce pas ? Mais les choses en seraient restées là, si Eric, persuadé d'un mystère, n'avait décidé d'aller rendre visite à son ex-fiancée... juste pour s'assurer de son bonheur.

— Et... ?

— Et... Non, décidément, il est difficile de vous raconter la suite de l'histoire, je risquerais de m'y prendre si mal que vous n'y comprendriez rien. C'est d'ailleurs pour cela que l'intéressé lui-même a préféré écrire son journal posément, minutieusement, plutôt que de me faire part de vive voix du drame qu'il vit depuis des semaines. Vous allez lire ce récit. Nous en reparlerons ensuite, voulez-vous ? Sachez seulement que vous ne vous êtes pas trompé en soupçonnant notre visiteur d'avoir de sérieux ennuis. S'il n'avait franchi la frontière juste à temps, il serait actuellement en prison pour un meurtre qu'il n'a pas commis ! Vous le jugiez fébrile, mal à l'aise ? Comme vous aviez raison ! Mais il a heureusement frappé à la bonne porte. Son problème est mon problème. Nul doute que nous lui trouverons une solution.

John n'hésita pas à poser la question qui lui brûlait les lèvres :

— Quel rapport avec notre jeune comateuse ?

— Sur ce point, mon voyage à Bruges fut décisif. Je sais maintenant que son prénom et son nom commencent par les lettres L et B, qu'elle s'est trouvée de passage à la gare de Paris le 12 octobre de l'année dernière... Je sais également que Ludmillia von Bremer a quitté le petit village d'Heiligenblut le 10 octobre de cette même année et qu'elle devait se rendre en Ecosse. Il n'y aurait rien d'extraordinaire à ce qu'elle soit passée par Paris.

— Etes-vous en train de me dire que... que ces deux jeunes filles ne font qu'une seule et même personne ?

— Je le pense. Mieux, j'en ai la certitude absolue.

— Mais ce serait positivement merveilleux !

Une sincère admiration brillait dans le regard bleu de John. Herbert Smith ne cachait plus sa satisfaction. Il bâilla soudain sans retenue en constatant que toutes ces émotions successives l'avaient brisé.

— Eh bien ! maintenant, je vais aller récupérer un peu. S'il vous plaît, téléphonez à Eric Lund, et dites-lui de venir me retrouver ici à midi. Il serait de bon ton que vous prépariez un excellent déjeuner, mon cher. Prévoyez aussi une bonne bouteille, histoire de ragaillardir un peu ce garçon. Il doit être dans un état de nerfs indescriptible ! Je suis moi-même sur des charbons ardents, mais il ne faut rien brusquer, n'est-ce pas ?

— Une décision des plus sages, approuva John qui enviait le calme olympien dont le romancier faisait preuve. « Moi, pensa-t-il, je serais sur-le-champ parti à l'hôpital en compagnie du jeune Autrichien. Je n'aurais pu résister au désir de les mettre face à face, lui et elle ! Ah ! il faudra que je m'arrange pour être présent... Quel suspense ! J'en ai froid dans le dos. Et s'il allait ne pas la reconnaître ? En un an, elle a peut-tre beaucoup changé, sans compter qu'elle a plutôt l'air d'une momie avec ce volumineux bandage sur la tête... (Puis, se morigénant :) Voyons, l'Amour a toutes les mémoires, tous les instincts. Ce sera " oui " ou " non " au premier regard. J'en tremble d'avance... »

Herbert Smith n'était pas dans des dispositions plus sereines. Bien qu'il se fût efforcé de prendre quelque repos, il n'avait fait que se tourner et se retourner dans son lit sans pouvoir trouver le sommeil. Lorsque, enfin, il s'assoupit, il fit un rêve si désagréable qu'il se redressa sur ses oreillers en tempêtant. Ce n'était pas possible, la police n'allait tout de même pas lui mettre des bâtons dans les roues juste au moment où il allait résoudre une partie du mystère !

— Il ne faut pas que Malbris et Thomas apprennent que je suis de retour ! grommela-t-il en se passant une main dans les cheveux. Nom d'un chien ! Si mon immeuble est surveillé, je ne vais pas tarder à les voir rappliquer.

Cette perspective le fit se lever en hâte, puis il passa sous la douche, ce qui eut sans doute le don de lui éclaircir les idées, car il ne vit plus l'intervention de la P.J. sous un jour aussi noir.

« Au fond, ils s'acharnent sur moi parce que l'aile de ma Bentley est cabossée, mais j'ai à ce sujet un argument irréfutable, mieux, un témoin : la belle Mme Léger. J'aurais dû dire à John de la contacter et de lancer son nom en pâture. A l'heure actuelle, on l'aurait interrogée. La chère Anita se rappelle certainement qu'avant notre arrivée à « L'Orée du Bois », ma voiture était en parfait état, et cela le lendemain même de l'accident au cours duquel elle aurait été soi-disant endommagée. »

— Je ne vois pas pourquoi je me fais tant de soucis, conclut-il à l'intention de son valet qui lui tendait un peignoir de bain. Il y a au moins dix personnes qui peuvent témoigner de ma bonne foi, à commencer par la marquise de Marmandier, sans oublier le député de la Seine-et-Marne. Je crois que je vais leur téléphoner.

— Excellente initiative, Sir.

Rasséréné, Herbert passa dans son bureau et mit aussitôt ses projets à exécution. Anita s'écria qu'elle ne manquerait pas l'occasion qui lui était donnée de lui être agréable. La marquise lui déclara avec sa franchise coutumière qu'elle ne s'était point préoccupé de détails aussi insignifiants le jour de son anniversaire, mais qu'elle affirmerait bien entendu que la voiture était intacte, et quant au député, il avoua avoir légèrement poussé la Bentley pour garer plus aisément sa propre voiture.

— Alors, vous pensez bien, mon cher ami, que je me serais aperçu d'une aile froissée, d'autant que j'ai toujours admiré votre acquisition. Vous devez atteindre le deux cents à l'heure en un rien de temps avec un tel engin ! Et quel confort ! Vous l'avez fait carrosser spécialement, n'est-ce pas ?

Pour ne pas froisser son interlocuteur, Herbert dut lui fournir les explications d'usage. Il le fit sans trop d'agacement, car il se sentait délivré d'un grand poids.

Dès qu'il eut raccroché, il entendit un bruit de voix dans le hall. Eric Lund s'était précipité au rendez-vous que John lui avait fixé. Il était à peine midi et le soleil éclaboussait d'or les frondaisons rousses du Luxembourg. Herbert se sentait renaître. Rien ne le passionnait davantage que les énigmes qu'il arrivait à résoudre. Peu importait le temps qu'il mettait et la manière dont il s'y prenait.

Ce fut la main tendue dans un geste de cordialité qui toucha beaucoup le jeune Autrichien, qu'il alla au devant de ce dernier, le sourire aux lèvres.

— Entrez dans mon bureau, mon cher Eric. Nous y serons bien pour bavarder.

La mine soucieuse du voyageur, le négligé de sa tenue indiquaient que ses soucis primaient toute autre considération. Son regard inquiet d'animal traqué faisait peine à voir.

— Détendez-vous, dit l'écrivain en lui tendant un verre qu'il venait de remplir d'une bonne dose de bourbon sans y adjoindre la moindre goutte d'eau. J'ai lu votre récit. Il est précis, bien qu'il comporte de nombreuses zones obscures, du moins pour moi. Tout d'abord une question : êtes-vous certain qu'Oscar von Bremer est mort ?

L'incongruité de cette demande le fit sursauter.

— Mais voyons, bien sûr !

— Vous êtes-vous penché sur lui pour écouter le cœur ?

— Non..., avoua-t-il piteusement.

— Avez-vous songé à vous procurer des journaux autrichiens susceptibles de relater l'affaire ? Si j'en crois ce que vous avez écrit des von Bremer, l'assassinat de l'un d'eux devrait faire quelque bruit...

— Je n'ai pratiquement pas bougé de ma chambre, s'excusa Eric, et de toute façon, je n'aurais pas su où en trouver.

Il n'avait pas terminé que l'Anglais avait sonné son valet.

— Allez jusqu'au carrefour de l'Odéon, John. Il y a un kiosque assez bien achalandé. Tâchez de me trouver la *Kronen Zeitung* d'hier, et faites-moi mettre de côté celles qu'ils recevront demain et après-demain.

Eric Lund venait de finir son bourbon. La douce chaleur de l'alcool courait dans ses veines. Il respira profondément et adressa à son hôte un sourire reconnaissant bien que toujours inquiet.

— Cela veut-il dire que vous acceptez de m'aider ?

— Pour vous, je crois que je vais faire des miracles ! répondit le romancier sans la moindre hésitation. Et maintenant suivez-moi !

Eric n'avait pas quitté l'imperméable chiffonné dont il était vêtu. Il se contenta d'en relever le col, tandis que son protecteur enfilait son loden.

— Je vais vous emmener voir une amie, reprit Herbert avec un rien de malice dans le regard. Elle est malheureusement à l'hôpital. Cela ne vous dérange pas, j'espère ?

Sous une apparente désinvolture, il tentait de cacher l'anxiété qui, au fond, l'étreignait. La minute de vérité approchait... Si Eric ne reconnaissait pas la jeune endormie, il n'aurait plus qu'à tout reprendre depuis le début. Mais les éléments en sa possession étaient si flous, si confuses les circonstances du drame, qu'il se sentait d'avance envahi par le découragement.

« Attendons avant de nous lamenter ! », pensa-t-il. Et d'un bon pas il entraîna l'Autrichien, non sans avoir au préalable téléphoné à un radio-taxi.

— Quand je songe que je ne peux même pas me servir de ma voiture ! grommela-t-il.

Pendant le trajet, les deux hommes conversèrent sans la moindre gêne. Soumis à un interrogatoire en règle, le jeune Autrichien n'y opposa aucune restriction. S'il se forgeait de Ludmillia une image idéale — l'admiration avec laquelle il en parlait en témoignait — il se félicitait de s'être fait un ami de Christopher von Bremer dont les conseils, avouait-il, lui avaient été fort utiles.

— Il pensait que ma rencontre avec l'oncle Oscar ne pourrait être traitée que par l'intimidation. En effet, ce n'était pas un homme à se laisser impressionner facilement, et si nous en étions venus aux mains, il aurait eu rapidement le dessus. Il était grand et fort, vous savez.

— Et pourtant, vous vous êtes présenté à lui désarmé ?

— Pas tout à fait. J'avais pris dans le bureau de mon père un poing américain, à toutes fins utiles... Je n'ai pas eu l'occasion de m'en servir. Il était là et il me regardait fixement. Alors je suis parti, en changeant d'itinéraire en cours de route après avoir quelque peu réfléchi aux conséquences de ma présence au pavillon. Pas un instant, je n'ai eu l'idée d'aller prévenir Christopher. Il a dû m'attendre longtemps, attablé à l'hôtel Glocknerwirt !

— Avez-vous songé à lui téléphoner depuis ?

— ... Non...

— Je suggère que vous le fassiez.

— Oui.

Eric semblait reprendre une certaine vitalité, le romancier le constata avec satisfaction. Le fait d'avoir conservé sa liberté l'aidait à surmonter ses chocs successifs.

La masse imposante de l'hôpital Cochin se dessinait devant eux. Tandis qu'Herbert payait le chauffeur de taxi, le vent aigre de novembre s'enroula dans son manteau et il dut pendant quelques instants retenir son feutre qui menaçait de s'envoler.

Cinq minutes plus tard, le romancier ouvrait la porte de la chambre où l'inconnue avait été hospitalisée. Son rythme cardiaque s'accéléra quand il vit Eric, le visage décomposé, s'accrocher au montant du lit. Un cri lui échappa, puis un prénom :

— Ludmillia !

Soudain, il se précipita au chevet de la jeune fille et la couvrit de baisers.

— Mon amour ! Ma chérie ! Toi, ici !

Comme elle ne répondait pas à ses effusions et demeurait les yeux obstinément clos, il se tourna, affolé, vers Herbert.

— Coma, dit brièvement ce dernier. Il y a environ six jours que les médecins se penchent sur son cas.

— Elle ne va pas... mourir ?

Il y avait une telle détresse dans son regard, un tel désarroi que c'en était éprouvant.

— L'avoir retrouvée... dans cet état !

Il s'était agenouillé au pied du lit, le front contre la main inerte de sa bien-aimée. Des larmes rares et pathétiques le secouaient.

— Allons, allons... Ne perdez pas courage. La médecine a fait des progrès. Nous la sortirons de là, vous verrez. Jusqu'ici, nous ne savions pas son nom. Vous venez de l'identifier. J'en suis fort aise.

— Monsieur Smith, comment avez-vous deviné ?

Il s'interrogeait quant aux circonstances qui avaient amené ce dernier à faire un rapprochement entre une simple inconnue et Fraülein von Bremer.

— Le destin réserve des surprises. Si l'on compte un tant soit peu sur la chance, elle ne vous abandonne pas.

Ce n'était pas une explication rationnelle, mais Eric Lund dut s'en contenter, car un interne venait de pénétrer dans la chambre. Il vérifia les appareils dont la tête et la poitrine de la jeune fille étaient bardées.

— Y a-t-il du nouveau, docteur ?

Il hocha la tête.

— Très bientôt, nous la ferons transporter dans un service neurologique. A l'hôpital Lariboisière probablement. Si vous voulez aller la voir là-bas, il faudra vous adresser au professeur Glandier.

A bout de force, semblait-il, tant le choc qu'il venait de subir avait été grand, Eric Lund s'était affalé sur une chaise. Son regard allait du corps immobile entre les draps tout blancs à la haute silhouette d'Herbert Smith. Il n'avait que vaguement entendu les explications du praticien, brèves et presque inaudibles tant il parlait bas. Il avait seulement compris qu'on allait tenter un autre traitement. Réussirait-il ?

— Je savais depuis longtemps que Ludmillia courait un danger, mais je n'avais jamais imaginé que je la retrouverais sur un lit d'hôpital, inconsciente. Dans mes cauchemars, je la voyais séquestrée, violentée ; jamais sous la forme d'une morte-vivante. C'est affreux !

— Venez, maintenant, dit Herbert très doucement.

— Non ! Laissez-moi auprès d'elle. Si elle arrivait à percevoir ma présence, je suis sûr qu'elle retrouverait ses esprits.

— Ne faites pas l'enfant. Ce n'est pas la Belle-au-bois-dormant, même si vous êtes son prince Charmant.

— L'Amour, le grand, le vrai, est capable de l'impossible, monsieur Smith ! Vous ne me croyez pas ?

— Si, mais aujourd'hui nous avons à parler. Vous semblez oublier pourquoi vous êtes en France.

L'Anglais faisait preuve d'une grande autorité. « Il est bien tel que ma mère l'a décrit : courtois, chaleureux, mais têtu ! », pensa le jeune homme.

Pas un instant il ne s'était écrié que son problème était trop ardu pour ses talents de détective amateur ; pas davantage il ne s'était vanté de ses précédents exploits. Il se contentait d'être simple, direct.

— Je vous suis, murmura Eric avec un soupir.

Il se pencha de nouveau sur la jeune fille et de ses lèvres effleura les siennes. Tout frémissant, il détourna enfin les yeux pour interroger son compagnon qui, ouvrant la porte, le laissa passer devant lui.

***

— Naturellement, vous allez vous installer chez moi, dit Herbert. J'ai une chambre d'amis qui devrait vous convenir, et je vais prier John de vous constituer une garde-robe sommaire.

— Je... Il ne me reste pratiquement pas d'argent sur moi, avoua le jeune Autrichien piteusement. Je ne pourrai pas faire face à ces... dépenses.

— Ne vous tracassez pas, nous nous arrangerons plus tard. Aucun détail matériel ne doit encombrer votre esprit. Vous avez mieux à faire...

— Comment pourrai-je jamais vous remercier ? (L'émotion rendait sa voix chevrotante.) Ce matin encore, j'étais perdu. Je désespérais de revoir Ludmillia. Mon Dieu ! mais comment a-t-elle pu en arriver là ?

Pendant le déjeuner qui réunit les deux hommes quelques minutes plus tard, le romancier s'efforça de l'éclairer sur ce point. Il le fit en termes sobres où perçait la frayeur qu'il avait ressentie, quand, du brouillard, était sortie cette forme immatérielle aussitôt anéantie.

Le salon où ils étaient maintenant installés devant une tasse de café incitait à la détente. Un bon feu de bois pétillait dans la cheminée de marbre blanc. Devant une haute glace de Venise s'épanouissaient des roses thé. Le vase de cristal était lui-même entouré de vases chinois de l'époque Ming que John ne manipulait jamais sans ressentir un pincement au cœur. Il y avait de si belles choses dans cette pièce ! La plupart étaient des souvenirs de voyage, expliqua Herbert Smith. Dans une vitrine s'alignaient des ivoires et des jades. Les murs étaient ornés de poignards arabes aux manches incrustés de nacre et de pierres précieuses, plus affilés qu'une épée. Leur propriétaire les caressait de temps à autre du regard. Ils l'aidaient à revivre des moments d'intense agitation. Tous ces objets avaient une histoire ou se rapportaient à des faits précis. Ils étaient aussi le symbole du triomphe de l'intelligence et de la déduction sur le calcul et le mensonge. Ces dagues lui avaient été offertes par la princesse Siami lorsqu'il avait fait arrêter le voleur de ses bijoux. La glace de Venise avait appartenu à la belle comtesse Amira di Scalani qu'une affaire de faux tableaux avait conduite à sa perte... [1]

— J'ai vu des criminels de tout bord, reprit Herbert qui venait de laisser John énumérer quelques-uns de ses exploits, non par vanité personnelle, mais parce que le domestique y prenait grand plaisir, d'autant que celui-ci participait toujours à ses enquêtes et que ses mérites étaient grands. Mais dans l'affaire qui nous préoccupe, je me demande où nous allons... Avez-vous une idée, John ? (Et, en aparté pour Eric :) Il est mon docteur

---

1. Lire « En cette nuit-là » du même auteur (Presses de la Cité).

Watson, si tant est que l'on puisse me comparer à Sherlock Holmes ! Voulez-vous bien poser cette cafetière et vous asseoir, nous ne serons pas trop de trois pour tenter d'y voir clair, mon ami, reprit-il à l'intention du fidèle valet.

Plus raide qu'un piquet, parce que la bonhomie de l'écrivain choquait son sens de la hiérarchie et des convenances, John prit place sur le canapé.

— Bon, résumons-nous. Il est probable que nous ne retrouverons jamais le chauffard qui a renversé Mlle von Bremer. Faisons-en notre deuil. En revanche, il serait intéressant de savoir d'où elle venait ce soir-là. Voyons, tout le monde la croyait en Ecosse, et elle se trouvait à Paris. Y était-elle depuis longtemps ? A votre avis ?

— Depuis un an, affirma John. Elle n'a certainement jamais pris l'avion pour Edimbourg...

— Pourtant, elle avait son billet, reprit Eric. Pourquoi aurait-elle renoncé à ce voyage ?

— Imaginez qu'on l'ait interceptée sur le quai de la gare et séquestrée ensuite...

— Mais il y avait beaucoup de monde autour d'elle ! Elle se serait débattue, elle...

— Bougeriez-vous si l'on vous braquait un revolver sur les côtes ?

Eric posa sa tasse sur la petite table à sa portée, car sa main tremblait.

— Non, évidemment. (Puis, après un court instant de réflexion :) Ludmillia est très riche, conclut-il. On peut en vouloir à son argent.

— Le nerf de la guerre ! soupira Herbert. Que de méfaits on commet en son nom ! Donc, l'héritière des von Bremer se fait enlever : à l'instigation de qui ? D'une bande de truands spécialistes de coups de cette sorte ?

— ... qui l'auraient obligée à téléphoner à son concle qu'elle allait se marier avec un laird du comté d'Inverness ? Je n'en crois pas un mot ! s'insurgea John.

— Moi, non plus, enchaîna le jeune Lund. Oscar von Bremer espérait certainement qu'à sa majorité sa nièce lui demanderait de continuer de gérer ses affaires. Ce mariage à la sauvette aurait dû lui paraître étrange. Or il continua d'arborer une mine réjouie qui aurait découragé les plus soupçonneux ou les plus sceptiques.

— Sauf vous, à ce qu'il me semble !

— Parfaitement, Sir Herbert. Je n'ai pas cru réellement à cette histoire, même quand le dépit m'habitait.

— Pensez-vous que je me trompe beaucoup en accusant ce cher Oscar de complicité d'enlèvement ?

— Il pourrait en être l'instigateur. Mieux : le chef de la bande !

— Assassiné ensuite pas ses complices ? Il y a quelque chose qui ne « colle » pas. Pour profiter de la fortune de Ludmillia que l'on devait obliger à signer des procurations et des chèques, le baron était le mieux placé. Pourquoi l'aurait-on supprimé ?

— On ne l'a pas supprimé, Sir, rectifia John. Tenez, prenez connaissance de la *Kronen Zeitung*.

D'un pas vif, il alla chercher le journal qu'il avait glissé dans un porte-revues peu avant le déjeuner et le tendit au romancier.

— Là, en dernière page...

— Ah ! merci. (Mais, renonçant à déchiffrer l'article :) Voulez-vous le traduire à voix haute ? Je ne suis pas familiarisé avec l'allemand.

— Monsieur Eric le ferait mieux que moi, dit John sur un ton de modestie inattendu, car il avait conscience de ses capacités dans des domaines aussi divers que la bonne cuisine, la littérature et les arts, le savoir-vivre et les langues. (Il en parlait quatre couramment, dont le russe et l'allemand.)

Eric s'empara du journal avec empressement.

Un de ses collègues anonymes relatait les faits avec une précision minutieuse. Non, Oscar von Bremer n'avait pas été assassiné, il s'était tout bonnement suicidé, telles étaient les conclusions du médecin légiste.

— Voilà qui vous sauve, conclut Herbert, et qui me paraît correspondre davantage à la version que je viens d'imaginer.

Pour lui, en effet, tout s'éclairait. Ne sont pas rares les tuteurs qui profitent largement de la fortune qu'ils ont à administrer. Tout va bien tant que leur pupille demeure sous leur coupe, mais à l'approche de sa majorité, ils commencent à s'affoler, d'autant que leurs finances personnelles sont loin de pouvoir suffire à des besoins devenus dispendieux. Si le baron répondait à ce portrait, il avait sans doute écouté d'une oreille complaisante toute suggestion tendant à le maintenir dans son standing, sans trop se préoccuper du sort de sa nièce. Mais les choses n'avaient pas tourné exactement comme il le souhaitait... Ludmillia s'était échappée. Quelle chance, toutefois, que son état, à la suite de cet accident providentiel, l'empêchât de répondre aux questions qu'on n'aurait pas manqué de lui poser ! La crainte que, la maladie régressant, la jeune fille en vînt à l'accuser l'avait sans doute conduit à mettre fin à ses jours.

— C'était ce qu'il avait de mieux à faire ! grogna Eric. Mais hélas ! il a des comparses. Que peut-on attendre d'eux ?

— Rien de bon, répliqua vivement le romancier. Je crois même que Fraülein von Bremer n'a jamais été plus en danger que maintenant...

— A l'hôpital ? Vous plaisantez !

— J'aimerais avoir votre optimisme, Eric. Le fait que le baron se soit suicidé est un aveu, mais cela ne nous donne pas pour autant le nom de ses acolytes. M'est avis qu'ils vont agir sans tarder.

— Vous me suggériez de téléphoner à Christopher. Peut-être pourrait-il nous aider ?

— Bien sûr ! Allez dans mon bureau et appelez-le. Donnez-lui mon adresse et invitez-le à venir nous rejoindre.

Soudain tout agité, le journaliste fit ce qu'Herbert lui conseillait. Il revint quelques instants plus tard en disant que Christopher était absent, mais que son domestique ne manquerait pas de lui faire la commission.

— Bon, eh bien ! en attendant, séparons-nous pour réfléchir chacun de notre côté. Au dîner, vous me ferez part de vos propositions. Nous adopterons celle qui nous paraîtra la meilleure.

Sur ces derniers mots, l'Anglais quitta le salon. Le jeune Lund l'interpella dans le corridor :

— Pardon, Sir... Le récit de mon aventure écossaise ne vous a-t-il rien inspiré ? Je m'attendais à ce que nous en parlions...

— Vous vous interrogez quant à la véritable identité de votre ex-fiancée ? L'aimerez-vous moins si c'est une Whiseley plutôt qu'une von Bremer ?

— Certes non, mais...

— Chaque chose en son temps, voulez-vous, mon petit Eric ? dit-il en mettant son chapeau et son manteau sans préciser le but de sa promenade. Chaque chose en son temps...

IV

Malgré sa désinvolture, Herbert n'était pas très à l'aise. Il avait pour le moins besoin de se détendre les nerfs. Ses pas le conduisirent tout naturellement vers les jardins du Luxembourg, et, un peu comme l'assassin qui ne peut s'empêcher de revenir sur les lieux de son crime, il se trouva bientôt face au banc où il avait découvert l'homme au foulard rouge. Des enfants avaient fait des pâtés, là où la terre avait absorbé le sang du pauvre vieux.

« Ah ! s'il avait eu le temps de me parler ! soupira le romancier en démolissant les petits monticules du bout de sa chaussure. A n'en pas douter, il en savait long. Sinon, l'aurait-on suivi jusqu'ici et tué sans l'ombre d'un scrupule ? »

Henri Barge était un marginal. Les clochards des bords de la Seine avait donné peu de renseignements sur lui, si l'on en jugeait aux commentaires brefs des journaux. Plutôt que de coucher sous les ponts, il logeait de place en place, selon les possibilités qui s'offraient à l'approche de la nuit. Voilà qui n'avait pas dû inspirer beaucoup Malbris et Thomas.

« Et même s'ils avaient appris quelque chose, comme ils ne me confieraient rien..., pensa Herbert en reprenant sa marche lente, il faut que je cherche d'un autre côté. »

Une demi-heure plus tard, il descendait sur les berges de la Seine, là où il était le plus sûr de trouver ces « habitants des courants d'air », ainsi appelait-il poétiquement les clochards, parmi lesquels il dénicherait peut-être une âme compatissante, très instruite des malheurs du sieur Barge.

Autour d'un maigre feu de bois dont le vent déportait la flamme et dispersait la fumée, il en aborda quelques-uns, sans qu'aucun n'interrompît son repas. Vin rouge et café circulaient à contresens. On avait à peine levé un œil sur le nouvel arrivant. Seuls ses vêtements, jugés du dernier chic, leur avaient arraché des grognements et des réflexions peu amènes.

— Quelqu'un a-t-il connu Henri Barge ?

Et comme un silence lourd succédait à son appel.

— Il a laissé de l'argent en me chargeant de le remettre à celui qui voudrait bien répondre à mes questions...

Herbert ne mentait qu'à moitié, puisque c'était pour posséder cette somme rondelette que le vieux était venu jusqu'au Luxembourg.

— Les flics, on n'en a pas besoin ici ! lança un énergumène en crachant par terre.

— Monsieur n'est pas un flic ! protesta un autre. A moins que c'en soit un du Yard ? Tu n'as pas entendu son accent typiquement anglais ?

On le regardait maintenant avec une certaine curiosité.

— Ni du Yard ni de la P.J., dit Herbert en hochant la tête. Je travaille pour mon propre compte.

— Un privé, alors ?

— Si vous voulez...

— C'est donc que quelqu'un s'intéresse à ce pauvre Riri ?

— Oui. Et cette personne estime qu'il a subi un sort bien injuste. Un couteau en pleine poitrine, vous imaginez ? Tout ça, parce qu'il avait reconnu le visage de la jeune fille dans les journaux.

— Elle est toujours dans le coma ? demanda une

petite voix, une voix de femme, ou plutôt d'adolescente.

Le romancier se pencha vers la silhouette accroupie à ses pieds. Elle était vêtue comme les autres de vêtements hétéroclites. Le pardessus qu'elle portait avait des manches trop longues. En émergeaient deux mains sales.

— Riri, je l'aimais bien, dit-elle en levant un visage tout aussi noiraud vers son interlocuteur.

— Eh bien ! voulez-vous que nous en parlions un peu ?

Il l'invitait à se lever et à le suivre à l'écart. Les yeux bleus magnifiques qui le regardaient l'avaient interdit. Et tout de suite il s'était demandé : « Pourquoi cette déchéance ? »

Au moment où elle allait se lever, l'homme qui se tenait le plus proche d'elle l'arrêta :

— Non, moi j'y vais... Riri, vous tous, vous ne l'avez jamais compris.

Il y eut des haussements d'épaules et des grognements intraduisibles.

En se déployant, le clochard n'en finissait plus de grandir. C'était un géant. Il n'était pas loin d'atteindre les deux mètres. Sa carrure, que rembourraient encore des pull-overs enfilés les uns sur les autres, était impressionnante.

« Bon sang ! pensa Herbert, il m'écraserait comme une punaise ! » Mais, sans se départir de sa fermeté :

— Souhaitez-vous que nous allions dans un bistrot ?

— Je ne bois pas, moi, monsieur !

— Je vous en félicite. Marchons un peu...

— Très bien.

Tout en parlant, le romancier avait sorti son portefeuille. Il en retira deux billets de cinq cents francs qu'il tendit au géant.

— Sans blague ? questionna ce dernier en dévisageant Herbert comme s'il voyait devant lui un phénomène.

— Ils sont à vous.

— Sans rien demander en échange ?

— Seulement ce que vous voudrez bien me dire.

— Ça va, dit l'homme. Que voulez-vous savoir ?

— Le soir où Henri Barge s'est fait assassiner, il avait un rendez-vous au Luxembourg. Vous avait-il dit ce qu'il en escomptait ?

— De l'argent, bien sûr. Il avait reconnu la petite demoiselle. C'était grâce à lui qu'elle avait échappé à ses geôliers, il pensait que cela valait son pesant d'or. Mais les autres ont dû le surprendre, le suivre... Il ne se méfiait pas assez le pauvre Riri. Sauf, pourtant qu'il m'a dit : « Si jamais je ne reviens pas, t'iras au commissariat et tu leur expliqueras toute l'affaire. »

— Et vous n'y êtes pas allé ?

— Non. Est-ce qu'on aurait voulu écouter un type comme moi ? Et puis tous ces poulets, ils me donnent la nausée. Alors, je suis resté dans mon coin.

— Connaissez-vous l'endroit où l'on séquestrait la jeune fille ?

Il acquiesça :

— Pas loin d'ici. Rue de Talleyrand, il y a un hôtel particulier inhabité depuis des années. C'est là. Le sous-sol est vaste ; on peut y accéder de plusieurs façons. Riri passait par le jardin. Il avait trafiqué la porte en contrebas à laquelle on accède par quelques marches. Cela ne lui était pas difficile, c'était un ancien serrurier ! Si bien qu'il pouvait même refermer derrière lui... Il y couchait rarement, remarquez. Les murs froids et humides réveillaient ses douleurs. Il demandait plutôt aide et protection au Secours catholique, ce qui prouve qu'il ne s'était pas complètement détaché de son ancien univers. Mais ce soir-là, son besoin d'isolement, une crise de sauvagerie dont il était coutumier le conduisirent à se réfugier dans ce qu'il appelait son « trou ». Il n'y était pas retourné depuis des mois, aussi fut-il surpris d'entendre des voix s'interpeller en allemand. Il en distingua trois dont une voix de femme. Ce qu'il connaissait de la langue — il avait été prisonnier en Allemagne pendant la guerre — lui fit dresser l'oreille. Au risque de se voir découvert, il tenta d'apercevoir ces douteux personnages. De la lumière perçait sur sa gauche, et c'est alors qu'il vit qu'un renfoncement du sous-sol avait été clôturé à l'aide d'une palissade de bois et qu'on lui avait adjoint une porte. Riri se déplaçait sans bruit. Certains d'entre nous l'avaient même surnommé le « félin », tant ses gestes étaient harmonieux et ses pas feutrés, c'est vous dire... Bref, il s'approcha encore. Maintenant, par la porte à claire-voie, il pouvait apercevoir la scène. Sur un banc était installée une jeune fille. Elle disait « non ! non ! » et elle repoussait le bras qui lui tendait un stylo et une feuille de papier. L'homme insistait. Elle se leva, mais on la fit asseoir en la giflant, si bien qu'elle finit par s'exécuter. L'homme au stylo eut un sourire satisfait. L'autre était une espèce de brute épaisse qui ne devait pas savoir faire mieux que de cogner. Quand il fit mine de lever de nouveau la main, son acolyte le retint : « Ça suffit, Karl ! On peut encore en avoir besoin. Et toi, ma petite Ludmillia, tiens-toi tranquille. Nous t'avons apporté des friandises et un bon souper. Tu ne diras pas, après cela, qu'on ne te soigne pas bien. A demain. » Riri recula précipitamment dans l'ombre. Les deux hommes sortirent après avoir verrouillé consciencieusement la porte derrière eux. On avait laissé à la malheureuse enfant une chandelle. C'est à la lueur de cette dernière que Riri la vit pleurer, puis se mettre à genoux et prier. Ses geôliers avaient pris l'escalier qui conduisait au rez-de-chaussée de la maison. Y campaient-ils ? Riri écouta. Pendant un moment, le plancher craqua sous leurs pas, puis vint le silence. Alors il s'approcha de la porte et appela la prisonnière, en réunissant tout ce qu'il savait d'allemand. Elle avait eu un cri étouffé et s'était réfugiée dans un coin du cagibi. Il lui dit de ne pas avoir peur, qu'il pouvait sûrement l'aider. « Je n'ai rien sur moi pour ouvrir cette porte, mais demain je reviendrai... S'absentent-ils tous les soirs à la même heure ? » Elle lui affirma que oui et le lendemain mon Riri s'attaqua à la serrure. Vous savez la suite, je suppose... Ce soir-là, il faisait un brouillard à couper au couteau. C'est ce qui sauva la petite. Enfin, façon de parler, puisque nous apprîmes deux jours plus tard qu'elle s'était fait renverser par une voiture. Sa photo s'étalait à la une des journaux... Quant à Riri, au moment où il lui disait adieu, il vit surgir l'un des deux hommes qui, le temps d'un éclair, lui braqua une lampe électrique en pleine face, tout en appelant son comparse. Sans doute l'aurait-on abattu comme un chien, si son étonnante agilité que l'âge n'atténuait guère, n'avait réussi à le sortir de ce mauvais pas. Il avait un avantage sur ses poursuivants : lui connaissait le quartier comme sa poche...

— Dommage qu'à la suite de cette affaire, il n'ait pas songé à disparaître quelque temps.

— Oui, dommage...

Le géant se tut, pensif. Le hasard ou la persévérance des deux hommes avait fait le reste. Le visage du sauveur de Ludmillia leur était resté dans la tête, et ils n'avaient pas été sans remarquer sa tenue vestimentaire, presque un uniforme pour eux... Alors, ils avaient dû commencer à le rechercher parmi les clochards. Le reste était facile à comprendre.

— Rue de Talleyrand, avez-vous dit ? insista Herbert.

— Numéro 7, monsieur. Peut-être qu'ils y ont laissé des traces ?

— Peut-être... Nous irons voir en tout cas.

— Mais je ne vous ai rien dit, hein ? Je ne veux pas avoir à répéter tout ça à la police !

Le romancier fit mine de lui taper sur l'épaule et se contenta de lui serrer le bras familièrement.

— Je respecte toujours la règle du jeu...

— Vous auriez plu à Riri.

— A moi aussi il m'aurait plu. Je suis arrivé trop tard...

C'était souvent ainsi. Et qu'y pouvait-il ?

— Si seulement Malbris et Thomas n'étaient pas aussi bornés ! marmonna-t-il en s'éloignant.

Jamais il ne s'était senti aussi seul.

Son tempérament dynamique, la conscience qu'il avait de son devoir ne suffisaient pas à l'inspirer suffisamment, si bien qu'il hésitait. Que devait-il faire à présent ? Partir en Autriche ? Essayer d'enquêter sur le passé du baron Oscar ou bien demeurer à Paris et attendre ? Mais attendre quoi, Seigneur ?

« Il faut protéger Ludmillia. »

C'était impératif, bien sûr. Il en était obsédé jusqu'à la hantise. Sans trop savoir quel instinct le guidait, il redoutait le transfert d'un hôpital à un autre. L'ambulance pouvait être interceptée, la jeune fille tuée ou enlevée de nouveau... Et cette fois, il était probable qu'on ne la retrouverait pas.

« Et si elle nous servait d'appât ? »

Aussitôt émise, l'idée l'effraya. Avait-il le droit de jouer avec la vie d'une moribonde ? N'était-ce pas beaucoup risqué pour un piètre résultat, car rien ne disait que ses bourreaux tomberaient dans le piège.

« Oui, mais s'ils y tombaient ? »

Une excitation difficilement contrôlable s'emparait d'Herbert Smith. Son cerveau eût-il été un ordinateur, qu'on aurait vu une lampe rouge s'allumer et une série de « tilt » exprimer sa tension intérieure.

« Voyons, comment cette folle entreprise serait-elle réalisable ? »

Le fait qu'il ne l'eût pas repoussée de prime abord signifiait qu'il allait en examiner toutes les modalités.

Le romancier se connaissait suffisamment pour savoir que, d'ores et déjà, sa décision était prise et qu'il ne s'interrogerait plus quant au bien-fondé d'une telle initiative. Ce qu'il fallait, c'était agir au plus vite. Une angoisse nouvelle l'agressait. A l'hôpital Cochin, comme dans n'importe quel autre hôpital, du reste, Ludmillia n'était qu'en relative sécurité. Aussi surveillés que fussent les services, il était à la portée de tout le monde de s'y introduire. Pour peu que les geôliers de la jeune fille y pénétrassent avant que le piège ne soit prêt à fonctionner, et on n'aurait plus qu'à abandonner l'espoir de l'arracher à son destin...

« Eric compte sur moi, pensa encore Herbert. Je suis son seul recours. By Jove ! ce serait bien la première fois que je me laisserais dépasser par les événements ! »

Ce dernier argument l'emporta, et il décida que désormais, Eric, John ou bien lui-même se succéderaient au chevet de la blessée 24 heures sur 24. Une fois mis au courant des faits, le docteur Broussard ne s'y opposerait pas.

En partie rasséréné, l'écrivain se rendit directement à l'hôpital où il eut un entretien avec le praticien.

— Je conçois que vous soyez inquiet, Sir Herbert, lui dit ce dernier, mais comptez-vous vraiment agir avec le seul concours de vos compagnons ? Est-ce bien raisonnable ? Ne feriez-vous pas mieux de vous entendre avec la police ? D'autant que, bientôt, ma responsabilité ne sera plus engagée. Vous savez que nous devons faire transporter notre malade à l'hôpital Lariboisière au plus tard après-demain, dans un service de neurochirurgie. Le commissaire du 10e serait peut-être plus compréhensif ?

— Lariboisière ? Cela ne me convient guère, docteur.

— Pourquoi, grand Dieu ? C'est un centre éminent et...

— Je ne mets pas en cause les compétences de vos collègues, intervint aussitôt l'écrivain. J'imagine seulement que le piège que je compte monter fonctionnerait beaucoup mieux si nous nous trouvions en province. A Clermont-Ferrand, par exemple. L'hôpital Fontmaure est renommé...

— Vous voudriez que je fasse transporter Mlle von Bremer à Fontmaure ?

Il le regardait d'un air incrédule.

— Oui, dit Herbert très nettement. Et ne me dites pas que c'est impossible. Il vous suffit d'un peu de compréhension et de... complicité.

— Fontmaure ou Lariboisière..., compara à haute voix le docteur Broussard. Bah ! au point où elle en est ! Vous vous acharnez à la sauver des hommes, mais l'arracherez-vous à son destin ? Elle peut succomber d'un instant à l'autre.

— Ou émerger de son coma. Je préfère voir les choses sous cet angle.

— Optimiste, hein ?

— Si c'est un défaut, j'ai bien peur de ne pouvoir me corriger !

Le praticien eut un large sourire.

— Vous avez déjà démêlé tant de points obscurs en cette affaire que j'aurais bien mauvaise grâce à vous empêcher de continuer sur votre lancée, d'autant qu'en vous remettant le petit agenda et la médaille de Fatima trouvés dans le burnous de la victime, je vous en ai quasiment chargé ! Je réitère cependant ce que je vous ai dit : faites-vous aider de la police. Vous avez assez de relations pour mettre au pas le commissaire Thomas et son adjoint, que diable !

— Je m'en souviendrai. Merci, docteur. Puis-je téléphoner ?

— Il y a des cabines dans le hall. Cependant, vous serez mieux dans mon bureau.

D'un geste, il l'invita à s'y rendre.

« Un chic type ! », songea l'Anglais.

Bientôt il eut John au bout du fil. Celui-ci ne posa aucune question superflue. Vingt minutes plus tard, il s'installait dans la chambre de Ludmillia avec un roman policier, et un browning sous l'aisselle gauche.

Herbert, enfin, respira.

***

Avant de partir à l'hôpital, le valet s'était montré très laconique, si bien qu'Eric Lund ne se doutait pas le moins du monde de ce que son bienfaiteur préparait. Il rongeait son frein dans le salon où il s'était cantonné tout l'après-midi en s'interrogeant sur les chances qu'avait Ludmillia de recouvrer la santé, supputant les risques d'une opération, se posant des questions auxquelles il ne trouvait pas de réponse.

Il était plus de vingt heures et le jeune homme commençait à se sentir bien isolé, quand un coup de sonnette strident le fit tressaillir.

Il alla ouvrir d'un pas vif. La minuterie du palier

s'était éteinte. Dès l'abord, il ne distingua pas l'homme qui se tenait devant lui, puis celui-ci parla tout en entrant dans la zone de lumière du corridor, et il le reconnut.

— Christopher ! s'exclama-t-il d'un air incrédule. Vous, déjà !

— Les avions ne sont pas faits pour les chiens, mon cher ! répliqua l'arrivant sur un mode ironique. Avouez que la nouvelle vaut le déplacement ! Ainsi, vous avez retrouvé Ludmillia ? Je vous remercie d'avoir pensé à me téléphoner. Votre départ précipité d'Heiligenblut m'avait fait douter de notre amitié... Je suis heureux de voir que vous ne m'avez pas tout à fait oublié !

Sans façon, il s'était introduit dans l'appartement, jetant autour de lui un regard critique.

— Eh ! Vous n'êtes pas si mal tombé ! Votre nouvel ami doit être très riche. Des lithos de Renoir dans un hall ! (Il siffla.) Smith, c'est bien son nom, n'est-ce pas ?

— Oui. Vous avez certainement lu ses livres.

— Ma foi non. La littérature et moi, vous savez... Parlons plutôt de ce qui nous intéresse tous les deux. Où est-elle ?

Il avait pendu son pardessus au portemanteau.

Son costume s'ouvrait sur une chemise de soie grège accompagnée d'un de ces innombrables foulards dont il se départait rarement. Il le fit bouffer d'une main diaphane devant la glace placée au-dessus d'une console de bois doré. Eric lui trouva mauvaise mine.

— Malheureusement, Ludmillia a été victime d'un accident.

Sa voix s'était effondrée sur ces derniers mots. Il entraîna Christopher au salon et entreprit de lui conter l'histoire par le menu. Son interlocuteur s'exclama :

— Chacun s'interrogeait sur les raisons qui avaient poussé l'oncle Oscar à se supprimer. Voilà qui les explique amplement. Ah ! la fripouille ! Séquestrer cette enfant, tout de même ! (Le ton avec lequel le voyageur s'exprimait vibrait d'indignation.) Donnez-moi quelque chose à boire, Eric. Je ne suis pas habitué aux émotions fortes.

Mais le journaliste le pria d'attendre le retour de leur hôte.

— D'autant que son valet est sorti en fin d'après-midi.

— La belle affaire ! Vous savez bien où le bar se trouve !

— Je ne saurais vous servir, intervint Eric sèchement. Je m'étonne que vous n'ayez pas plus de savoir-vivre.

Christopher éclata de rire. Il allait traiter son compagnon de petit bourgeois étriqué, quand ils entendirent s'ouvrir et se refermer la porte du hall.

— Est-ce vous, Sir Herbert ?

Pour toute réponse, l'écrivain apparut sur le seuil du salon. Eric s'était précipité à son devant, mais l'inconnu qui se pavanait dans un fauteuil n'avait pas bougé. De son regard gris incisif, Herbert Smith tenta de définir l'homme. Bien que la morphologie n'eût pas de secret pour lui, il s'avoua perplexe. Malgré une certaine allure, un sourire engageant, son visage ne respirait pas la franchise. Blêmes, ses traits étaient à la fois aristocratiques et antipathiques. Il y avait une certaine insolence dans ses yeux quand il se présenta comme s'il eût été un descendant des Habsbourg :

— Christopher von Bremer.

— Nous ne vous attendions pas si tôt. Bravo !

— J'ai trouvé le temps long, coupa Eric. Si je n'avais promis de vous attendre, je serais retourné à l'hôpital. Aucune amélioration ?

— Non. Pourtant, les médecins n'ont pas dit leur dernier mot. D'ailleurs, même sans intervention particulière, le choc commotionnel peut cesser d'un instant à l'autre. Outre le plaisir que nous aurions à la voir recouvrer la santé, songez aux révélations qu'elle pourrait nous faire ! Ceux qui l'ont enlevée et retenue prisonnière ne doivent pas être très à leur aise ! Voilà pourquoi je crains qu'on ne la supprime avant...

— Vous le pensez vraiment ? s'inquiéta Christopher.

— Non seulement je le pense, mais le docteur Broussard partage si bien mes vues qu'il est question de la transférer dans un hôpital de province. Son départ se fera dans les conditions les plus discrètes. Il faut que ses ennemis perdent sa trace, comprenez-vous. C'est notre seul espoir de l'amener jusqu'à la guérison sans problème.

— Dans quel hôpital ?

— Fontmaure, monsieur von Bremer. A Chamalières, près de Clermont-Ferrand. Tandis que pour tous, elle sera demeurée à Cochin. Inutile de vous demander le silence le plus absolu. La police elle-même ne doit rien savoir.

Eric approuvait de la tête. Christopher quant à lui félicita l'écrivain de son initiative :

— Vous êtes un homme organisé.

— J'ai cette réputation, en effet. (Puis, enchaînant :) Naturellement, vous n'avez pas dîné... Moi non plus. Je pense que le mieux serait d'aller au restaurant. Mon fidèle John a pris sa soirée. Je lui devais bien cela. Je l'ai fait lever à l'aube !

Enjoué, il pria ses hôtes de le suivre. Comme il l'avait suggéré, ils se rendirent tous les trois dans un restaurant renommé. Herbert ne ménagea ni les vins fins ni le champagne. Sans doute tenait-il à ce qu'Eric se détendît. Le jeune homme, malheureusement, avait le vin triste. Il pleurnicha sur les conditions dans lesquelles Ludmillia risquait de terminer sa vie, à la grande exaspération de Christopher qui le traita de chiffe molle. Les deux Autrichiens formaient un contraste frappant. De son regard aigu de détective invétéré, Herbert Smith les observait à loisir, tout en s'interrogeant sur les raisons qui le poussaient à cacher une partie de la vérité à ses nouveaux amis.

Pourquoi n'avait-il pas dit que John, loin de prendre sa soirée, veillait la blessée ? Pourquoi n'avait-il pas parlé du piège qu'il comptait monter à Fontmaure ? Une vague méfiance sourdait en lui. C'était plus un instinct qu'une certitude ; plus un besoin de prendre toutes les précautions possibles qu'une nécessité absolue. Le récit d'Eric lui trottait par la tête. Il se promit de le relire avec application et un souci constant de découvrir quelque indice... Il se trouvait que l'Ecosse et la région des lacs en particulier lui étaient aussi familières que le coin de Cornouailles où il avait passé son enfance. Près de Drumnadrochit, il possédait une demeure qu'il habitait deux mois par an au moment de la chasse, non qu'il eût pour ce genre de sport une passion réelle.

Il répugnait au contraire à participer au carnage dont ne se privaient pas certaines de ses relations. Mais il aimait parcourir les bois, écouter l'oiseau moqueur et le ruisselet dans la mousse, débusquer un lièvre, puis le voir se perdre dans les roseaux près du loch. Quand un faisan aux couleurs de feuilles mortes s'élançait dans le ciel, il braquait ses jumelles plutôt que son fusil. C'était ce respect de la vie qui animait ses actes quels qu'ils fussent. Il se demanda si le docteur Dicks était réellement mort comme Eric le prétendait, des suites d'une rupture dans la canalisation des freins de sa voiture et pourquoi le portrait dans la grande salle de Whiseley-Hall avait disparu. Rien ne le chiffonnait davantage que des faits sans justification apparente. Si Ludmillia était bien la fille de Robert Whiseley et de Mary Herkins, quel intérêt avait-on à le lui faire savoir ? Et qui s'en était chargé ? Car, Herbert en était à peu près sûr à présent, la jeune fille ne s'était pas décidée à partir en Ecosse sur un simple coup de tête, alors que huit jours plus tard elle allait atteindre sa majorité et que plus rien, à ce moment-là, ne l'aurait empêchée d'aller rejoindre Eric à Vienne...

— Vous me semblez dans les nuages, « old boy », lança Christopher en vidant d'un trait sa coupe de champagne.

— Oui, je l'avoue. Il serait sage de rentrer, proposa-t-il, en désignant Eric d'un mouvement du menton. Il dort déjà !

Ecroulé sur la table, le jeune Lund n'avait plus rien du garçon posé et sérieux qui lui était apparu tout d'abord.

— Peuh ! Je vous l'ai bien dit : une chiffe molle ! grogna son compatriote.

Quand il se leva, Christopher tangua légèrement, mais se reprit très vite. Il avait une telle habitude de l'alcool qu'avec la moitié de ce qu'il avait bu un autre homme se serait écroulé dans les minutes suivantes. Le romancier se félicita de n'avoir pas suivi le train de ses hôtes. Qu'avait-il espéré obtenir d'eux en leur donnant la possibilité de se soûler ? Des confidences ?

« Aucun homme n'a assez de mémoire pour réussir dans le mensonge », disait Abraham Lincoln. Herbert avait fait sienne cette devise ; il en avait tiré d'excellents résultats au cours de ses enquêtes précédentes. Mais dans l'état actuel des choses, rien ne lui permettait de dire qu'Eric avait un tant soit peu déguisé la vérité. Alors ? Pourquoi se montrait-il aussi soupçonneux ? En cet instant, il regretta de ne pas avoir John auprès de lui. La logique à l'emporte-pièce du valet le mettait souvent sur la voie... Retenant le soupir qui lui montait au cœur, il paya la note sans sourciller et pria le garçon de lui appeler un taxi.

— Si vous ne savez pas où aller, je peux mettre une chambre à votre disposition, monsieur von Bremer. J'ai la chance d'avoir un grand appartement.

Le jeune homme refusa tout net :

— Non, je suis descendu au Lutétia.

— Ah ! très bien... Serait-ce trop vous demander que de m'accompagner d'abord ? Vous m'aideriez à transporter Eric. Chez lui, la joie et le chagrin font un curieux mélange, et le champagne n'a rien arrangé !

Christopher grommela qu'il fallait s'y attendre :

— Ce garçon n'a aucun sens des réalités. Il devrait tout de même comprendre que Ludmillia est perdue, s'habituer à cette idée, tourner la page, quoi !

— Vous tranchez dans le vif !

— Bah ! Avouez que vous pensez comme moi.

Herbert évita de répondre. Von Bremer était, certes, un peu trop direct dans ses propos, mais il avait le mérite d'être lucide.

« Je me forge peut-être beaucoup d'illusions, moi aussi, en m'imaginant que je pourrai la sauver de ses ennemis, sinon de la maladie », songea l'écrivain de nouveau angoissé.

Arrivés au terme de leur trajet, les deux hommes conjuguèrent leurs efforts pour conduire Eric jusqu'à l'ascenseur. Christopher l'y enferma en compagnie de l'Anglais et rejoignit le taxi sans plus tarder.

« Que de précipitation ! pensa Herbert sur l'épaule duquel s'affalait le journaliste. Allons, mon vieux, un peu de tenue ! »

Il lui rejeta la tête en arrière et vit que son souffle était court et ses yeux révulsés.

— By Jove !

La stupeur rendait Herbert Smith incapable d'un diagnostic précis. Est-ce qu'une « bonne cuite », comme l'on dit vulgairement en français, était responsable de cet état congestif, de cet halètement proche du râle, de la sueur qui coulait sur son front ? L'exiguïté de la cabine empêchait que le jeune homme ne tombât, mais quand l'ascenseur s'arrêta et que les portes se furent ouvertes, il en fallut de peu qu'il ne s'affaissât sur le palier.

— Mon Dieu ! Sir Herbert, vous avez encore des ennuis ?

La voisine du troisième qui, apparemment, descendait des étages mansardés, se trouvait là comme par hasard. Elle avait appuyé sur le mot « encore ».

Il se souvint qu'elle était la belle-sœur de l'inspecteur Malbris et en ressentit une sorte de gêne.

— Au lieu de palabrer, madame Rosier, vous feriez mieux d'ouvrir cette porte.

Il avait fouillé dans sa poche et en avait retiré son trousseau de clefs. Il le lui tendit.

— Oui, oui, bien sûr... Il est mort ?

— Allez-vous cesser de dire des bêtises !

Exaspéré, d'autant qu'Eric semblait avoir perdu connaissance, Herbert haussait la voix. D'un coup de pied rageur, il renvoya la porte de l'ascenseur qui se ferma avec fracas.

— Oh ! fit-elle, il est minuit ! Vous pourriez vous montrer un peu plus discret. Si tout le monde faisait comme vous !

— Disparaissez ! s'écria-t-il. Disparaissez sur l'heure ou bien je vous étrangle !

Il aurait pu se montrer courtois, prendre la peine de lui expliquer... mais il était urgent d'appeler un médecin et il n'avait que faire des commérages de Rosalie Rosier. Elle lui avait déjà causé assez de désagréments.

Dès qu'il eut installé Eric dans sa chambre, il s'empressa de déboutonner son col de chemise et de desserrer sa cravate. La respiration était toujours aussi saccadée, mais le sang affluait de nouveau à ses pommettes. Presque aussitôt, le jeune homme ouvrit les yeux. Ce fut pour se plaindre d'un violent mal de tête.

— Je n'ai pas l'habitude de boire..., murmura-t-il. Pardonnez-moi.

— Etes-vous sûr que vous n'avez pas ingurgité une drogue quelconque ?

Dans l'incapacité de réfléchir et de s'exprimer correctement, Eric ferma les yeux.

— Bon, dit Herbert. Vous avez besoin de dormir... J'aime mieux ça !

Il se contenta de lui ôter ses chaussures, d'arranger ses oreillers et de le couvrir à l'aide de l'édredon. Après quoi, il alluma la lampe de chevet et se retira en laissant derrière lui la porte entrebâillée.

— Sacrebleu ! J'ai bien cru qu'il me restait entre les mains.

Il se laissa tomber sur son propre lit tout habillé. Pour lui, la journée avait été rude. Elle avait été également riche d'émotions diverses et de surprises. Il eut une pensée pour John qui, fidèle et vigilant, veillait au chevet de Ludmillia... Personne, cette nuit, n'arriverait à lui faire du mal. Mais demain ?

Il souhaita ardemment qu'il y eût une chambre de libre à Fontmaure. Le docteur Broussard lui avait promis de téléphoner.

— Il faudra aussi que j'appelle Jacques d'Orsonval. Lui me conseillera.

L'image des hommes qui avaient séquestré la jeune fille le hantait. Ce n'étaient pas des enfants de chœur. N'avaient-ils pas déjà tué une fois sans la moindre hésitation ?

« Et peut-être deux ! conclut Herbert. Après tout, je ne suis pas certain, moi, que le baron von Bremer se soit réellement suicidé ! Pourtant, le médecin légiste est formel. Bah ! ce n'est pas le plus important... Et si on l'avait obligé à se supprimer ? »

Questions et réponses s'entrechoquaient dans son cerveau.

« Au fond, la vie n'est qu'une éternelle partie de tennis. On ne peut pas prévoir qui gagnera le dernier set... »

Le lendemain, sous prétexte de prendre quelques heures de repos salutaire, l'écrivain prévint ses amis qu'il partait chasser en Sologne.

— Je reviendrai pour le transfert de Ludmillia à Fontmaure, ne vous inquiétez de rien, dit-il à ses amis qui le regardait avec étonnement. Ah ! au fait, je vous avertis que le docteur Broussard, agacé par les nombreuses visites que nous avons faites à sa malade, a consigné sa chambre. Inutile de perdre votre temps en palabres, il se montrera intraitable. J'ai seulement pu obtenir que John demeure à son chevet jour et nuit jusqu'à son départ.

— Pourquoi lui et pas moi ? s'insurgea Eric sur un ton hargneux.

Herbert haussa les épaules.

— Il n'y a pas de quoi être jaloux ! John a fait profession de servir les autres. Il s'est spontanément offert à la garder, tant qu'elle n'aura pas quitté Paris. Je crois vous avoir confié mes craintes, non ?

— Oui, évidemment...

— Alors ? Je vous en prie, un peu plus de compréhension !

DEUXIEME PARTIE

I

Quel secret de Polichinelle ! En fait, on ne savait trop comment la nouvelle s'était propagée, mais l'arrivée de Ludmillia von Bremer à Chamalières n'était pas passée inaperçue. La presse l'avait mentionnée et même *La Montagne* de Clermont-Ferrand[1] avait signalé l'hospitalisation de la jeune fille à Fontmaure.

Herbert Smith ne décolérait pas. Pourtant, il y avait quelque chose dans son regard qu'un observateur attentif aurait trouvé bien étrange... Eric Lund, remis de sa crise de foie, avait tenu à l'accompagner en province. Suivis de l'impassible John, ils s'étaient installés dans un appartement meublé à quelque trois cents mètres de l'hôpital.

Comme à l'accoutumée, on avait soumis la blessée à de nouveaux examens, si bien que les médecins ne s'étaient point encore prononcés. Un cas qui semblait les rendre particulièrement prudents.

Quant à Christopher, il était reparti dans son pays, avec mission d'enquêter sur les dernières transactions en date de l'oncle Oscar.

— Si vous voulez bien me rendre ce service, lui avait dit l'écrivain, je vous en serai reconnaissant. Cela m'évitera de faire jouer mes relations. D'autant qu'en Autri-

1. Grand quotidien régional.

che, je peux les compter sur les doigts d'une seule main !

— Trop heureux de vous rendre service, Sir ! s'était exclamé le jeune homme. Je vous serai plus utile là-bas qu'au chevet de ma cousine. J'avoue que sa vue me bouleverse. Ce sont des choses que je peux difficilement supporter. On ne se refait pas, n'est-ce pas ? (Et comme il y avait de l'ironie dans le regard d'Herbert Smith :) Vous allez dire que moi aussi je suis une mauviette !

— Ah ! ces âmes trop sensibles ! s'était contenté de répondre l'Anglais en souriant légèrement, pour masquer la contrariété qui sans cesse l'habitait.

— Toujours aussi soucieux à ce que je vois...

— Comment ne le serais-je pas ? J'espérais mettre Ludmillia à l'abri de ses ennemis en l'isolant dans cet hôpital de province. Et maintenant, tout un chacun sait exactement où elle se trouve et connaît même le numéro de sa chambre !

— J'estime qu'à Fontmaure, elle est plus en sécurité qu'à Cochin. Cet ancien couvent m'a tout l'air d'une forteresse !

Herbert méditait les paroles de Christopher, en se promenant ce matin-là aux alentours.

Une mince couche de neige tombée pendant la nuit recouvrait les champs et la grande allée qui grimpe jusqu'à la vieille demeure, imposant bâtiment du XVIIIe siècle flanqué de tours et d'une chapelle, dressé sur une sorte d'esplanade ventée à souhait. Un froid que la proximité du Puy-de-Dôme rendait plus vif encore fouettait le détective au visage. Il avait miraculeusement perdu la mine inquiète qu'il arborait depuis quelques jours et se disait que tout ne marchait pas si mal en fin de compte. Nerveux pourtant, il venait de consulter pour la seconde fois sa montre de poignet, quand, de son poste d'observation, il vit une voiture noire amorcer le virage, et, dédaignant de prendre place dans le parking de l'hôpital, s'arrêter sur le bas-côté de la route. Des appels de phares renouvelés plusieurs fois décidèrent Herbert Smith à se montrer. Les pierres roulaient sous ses pas tandis qu'il descendait la fameuse allée caillouteuse qui aurait bien besoin d'un revêtement de bitume. Des plaques de verglas la rendaient glissante. Herbert se hâtait tellement qu'il dérapa.

— Ne tombez pas surtout !

Un homme grand et jeune encore malgré ses tempes argentées était sorti de la Mercedes. Il releva le col de son pardessus et se croisa les bras, saisi par la froidure de décembre. Dans ses yeux pétillaient intelligence et perspicacité. Deux qualités dont Herbert Smith était également bien pourvu.

— Vous êtes venu en personne, Jacques ! Je n'en attendais pas moins de vous !

Les deux hommes se donnèrent l'accolade et s'engouffrèrent dans l'automobile qui démarra aussitôt.

— Où allons-nous ? demanda l'Anglais, après avoir salué le conducteur, pendant que Jacques d'Orsonval faisait rapidement les présentations.

— Sir Herbert Smith... Le commissaire Villemain.

— J'habite une maison de campagne à quelques kilomètres, répondit ce dernier. Si vous n'y voyez pas d'inconvénient, je vous y emmène. Nous y serons bien pour bavarder au coin de l'âtre.

La conversation ne pouvait s'engager de but en blanc sur le sujet qui occupait l'esprit des trois hommes depuis plusieurs jours déjà. Méthodique, méticuleux même, le commissaire Villemain ne s'y serait pas prêté. Il avait besoin d'un papier et d'un crayon pour consigner les faits au fur et à mesure que l'écrivain les lui décrirait.

Ils lui paraissaient si complexes qu'il redoutait presque d'en avoir été chargé, à la suite du transfert de Ludmillia von Bremer dans son secteur. Bien que Jacques d'Orsonval n'eut aucun droit de regard officiel sur les affaires relevant de la Brigade criminelle, il l'avait écouté d'une oreille complaisante, eu égard au poste qu'occupait ce haut fonctionnaire au sein de la D.S.T. Il y a des services qu'il est difficile de refuser, surtout lorsque l'on souhaite devenir divisionnaire.

— Vous avez de la chance, avait dit d'Orsonval à Herbert Smith, non seulement le commissaire Villemain est un homme consciencieux et capable, mais il est aussi ambitieux, ce qui, dans l'état actuel des choses, ne peut que nous être profitable. Peut-être n'acceptera-t-il pas votre présence et vos suggestions de gaieté de cœur, mais avec un peu de diplomatie... Enfin, je vous fais confiance... Je lui ai exposé les grandes lignes de votre programme. A vous de le convaincre. L'urgence de la situation le décidera sans doute. N'ayez toutefois pas l'air de lui imposer vos idées. De Paris, il a reçu carte blanche. Profitez-en.

Autant de conseils qu'Herbert gardait précieusement en mémoire et qui lui revinrent fort à propos lorsque Villemain, d'un ton bourru, lui demanda ce qu'il craignait exactement. Après tout, tant que la jeune fille demeurait dans le coma, elle ne risquait absolument rien. Or, à sa connaissance, Mlle von Bremer n'était pas près d'en sortir, si l'on s'en référait aux assertions des médecins.

— Tout à fait d'accord, et c'est bien pourquoi nous ne pouvons arrêter les coupables. Dois-je vous rappeler que la blessée a fait l'objet d'extorsions de fonds qui, d'après mes sources, seraient considérables ? Qu'elle a été séquestrée et probablement maltraitée ? Est-ce que cela ne mérite pas un châtiment, même si elle est à jamais exclue des réalités de ce monde ? Et peut-être, surtout, à cause de cela ?

Le ton avec lequel l'écrivain s'exprimait était si vibrant, si empreint d'émotion qu'il aurait convaincu plus insensible que le commissaire.

— Evidemment. Mais que pouvons-nous faire ?

— C'est justement de cela que mon ami est venu vous entretenir, Villemain, intervint Jacques d'Orsonval. Il a échafaudé un plan dont l'audace réclame une aide inconditionnelle et plus que de la discrétion : de la circonspection. Le choix des hommes qui devront participer à cette opération est essentiel.

— Une opération ? Quelle opération ?

— Un piège, répliqua le romancier sans tergiverser davantage. Une action dont je compte exclure Christopher von Bremer et même le fiancé de Ludmillia.

— Vous vous en défiez ?

— Pas exactement. Mais ils sont bavards !

— Vous avez acquis la méfiance du parfait policier, Sir Herbert. Prenez garde ! C'est une déformation qui nous handicape tous un jour ou l'autre !

— J'ai perdu depuis longtemps la candeur de l'adolescence, commissaire ! s'exclama l'Anglais en s'efforçant de rire pour détendre l'atmosphère. Et j'ai bien peur que ce soit irrémédiable !

Villemain daigna sourire. La pièce où ils se tenaient à présent était celle d'une gentilhommière. Deux armures dignes d'un château fort montaient la garde près d'une cheminée si imposante qu'un arbre entier y aurait brûlé.

Fauteuils à hauts dossiers, naïve vierge à l'enfant faisant pendant à un chapiteau sculpté de personnages bibliques, incunables occupant la majeure partie d'une bibliothèque gothique donnaient à l'ensemble un cachet certain et témoignaient du goût de son propriétaire pour tout ce qui touchait au Moyen Age. Se réfugier dans le passé était-il devenu un besoin pour cet homme quotidiennement confronté aux méfaits du grand banditisme et rompu à toutes les méthodes de rétorsion ?

Le romancier ne put s'empêcher de penser au récit d'Eric Lund concernant la vieille maison dans la forêt. « Tant de merveilles condamnées à mourir ! », écrivait-il.

« Pourquoi le temps désagrège-t-il tout ce qu'il touche ? songea encore Herbert. Même l'amour, même les souvenirs ! »

— Le temps que l'on qualifie de grand consolateur est en ce moment notre ennemi le plus insidieux, décréta-t-il à haute voix avec une fermeté qui étonna ses partenaires occupés à comparer leurs points de vue. Voilà pourquoi nous devons renverser la vapeur ! Agir au lieu d'attendre ! Provoquer au besoin ! Forcer le maître chanteur à sortir de l'ombre sans oublier que nous avons affaire à quelqu'un prêt à tout pour demeurer impuni. La disparition d'Oscar von Bremer en est la preuve. Les morts ne parlent pas !

— Il s'est fait justice. Ne pouvons-nous croire que, chef du complot, il a préféré en finir plutôt que d'affronter une inculpation éventuelle ?

— Non, bien que nous ayons toutes les preuves qu'avec la signature de sa nièce il a vendu la plupart des immeubles et des terres qu'elle possédait.

— Est-ce le jeune von Bremer qui vous a adressé ces renseignements ?

— En effet. Je l'en avais prié. Il est allé voir le notaire de la famille. Celui-ci n'a pas manqué de lui communiquer les documents adéquats. Disons que Ludmillia est à peu près ruinée à la suite de ces transactions dont le produit a malheureusement disparu.

— Sacrebleu ! s'exclama Villemain, si vous êtes certain de ce que vous avancez, nous allons au devant des pires difficultés !

C'était le moment de le convaincre qu'une intervention immédiate avait toutes les chances de réussir. Jacques d'Orsonval jeta un regard insistant en direction d'Herbert pour l'encourager à dévoiler ses plans.

— Je vous ai parlé d'un piège, monsieur le commissaire. Aidez-moi à le monter... Il fonctionnera, je vous le garantis !

— Vous êtes bien sûr de vous ! grommela l'officier de police. Un peu trop pour mon goût. Enfin ! Je vous écoute...

— Il n'y a qu'un seul moyen pour attirer les tortionnaires de Ludmillia : annoncer publiquement qu'elle a recouvré ses esprits.

Il avait dit cela si tranquillement que les deux hommes en demeurèrent cois. Herbert en profita pour enchaîner :

— Grâce à mon ami le docteur Broussard qui est personnellement intervenu auprès de ses confrères de Fontmaure, j'ai pu obtenir de ces derniers qu'ils se prêtent à notre mensonge. Ils confirmeront la nouvelle, et nous n'aurons plus qu'à veiller...

— Vous voulez dire : moi et mes hommes...

Il acquiesça :

— Vous et vos hommes, mais croyez bien que ni mon valet de chambre ni moi ne resterons inactifs.

— C'est insensé !

Villemain s'était levé d'un bond et marchait dans la pièce en se frottant nerveusement les mains.

— La presse voudra se rendre compte, interviewer Mlle von Bremer, que sais-je !

— Sa chambre sera consignée, afin que nul ne puisse compromettre son rétablissement. Pendant la journée, du moins...

— Parce que pendant la nuit... ?

Le commissaire n'osait poursuivre. Herbert lui adressa un sourire engageant.

— Quand l'heure des visites est passée, l'hôpital ferme ses portes. Tout est calme...

Il se tut, laissant sa phrase en suspens pour suggérer ce qu'il ne tenait pas à décrire : le moment pathétique où l'inconnu pénétrerait dans la chambre de la blessée... Emploierait-il le poison ? Un couteau ? Un moyen silencieux, en tout cas.

— Vous êtes le diable en personne, Sir Herbert ! grogna Villemain. Mais je crois que vous avez raison. Cela peut marcher. Toutefois... Prendrons-nous le risque de laisser Mlle von Bremer dans sa chambre ? Vous rendez-vous compte de ce qui arriverait si nous n'étions pas assez prompts à la secourir ? J'en ai froid dans le dos !

Herbert cilla, tandis que ses yeux se rétrécissaient au point de n'être plus qu'une fente étroite. Le policier pourrait dire adieu à son avancement ; quant à lui, il serait à jamais poursuivi par les remords. Mais il affirma d'une voix ferme :

— Elle restera dans sa chambre. C'est la condition *sine qua non.*

Il fut encore beaucoup question de la façon dont l'assassin interviendrait...

— Car il sera seul, même s'il a des complices à l'extérieur.

... et du temps que l'opération prendrait.

— J'ai, hélas ! d'autres affaires sur les bras qui requièrent des effectifs importants.

— N'ayez crainte, Villemain, intervint Jacques d'Orsonval. Mon ami est persuadé que tout se passera dans les heures qui suivront l'annonce de cette guérison inattendue. Et je le comprends. Ils voudront agir vite, avant qu'elle ne soit assez rétablie pour supporter un interrogatoire en règle.

La logique, une fois de plus, l'emportait. Le reste n'était qu'une question d'organisation.

— Nous ferions tout aussi bien d'en discuter dès à présent, remarqua l'écrivain. Je ne tiens pas à ce que l'on repère mes allées et venues au commissariat. Méfions-nous du grain de sable dans les rouages pourtant bien huilés ! J'ai apporté un plan de Fontmaure. Voici la porte principale... Au premier étage se trouve la chapelle. Il y a ensuite une immense galerie éclairée qui donne sur la cour intérieure. Les chambres s'ouvrent sur cette galerie. Il en est de même à tous les étages. A l'opposé se trouve l'escalier de service.

L'infirmière de garde se tient dans la tisanerie, lorsqu'elle ne fait pas sa ronde ou qu'un malade ne la sonne pas. Il faudra sans doute la mettre au courant, à moins que vous ne la remplaciez par un policier en jupon ? A vous de décider, avec l'accord du directeur, bien entendu. Au rez-de-chaussée, une petite porte donne sur la cour. Naturellement, elle sera fermée, mais notre homme n'aura aucune difficulté à l'ouvrir, la serrure est des plus simples. Il y a une autre voie d'accès : l'ascenseur réservé aux ambulanciers et aux malades. On y pénètre directement. Il est toujours bloqué pendant la nuit, sauf en cas d'urgence.

— Un risque supplémentaire !

— Qui n'arrêtera pas l'assassin, au contraire. Il lui

sera plus facile de s'introduire dans le bâtiment à la faveur d'un remue-ménage, surtout s'il porte une blouse blanche.

— Vous êtes cynique, Herbert ! s'écria Jacques d'Orsonval, en avalant sa salive.

L'écrivain se tourna vers lui, une main sur la carte, les yeux plus froids que du métal.

— Non, lucide. J'ajoute que je serai armé et mon valet aussi.

— Il y a longtemps que vous êtes détenteur d'un port d'arme, je suppose ? dit Villemain.

— Des années. Je ne vous raconterai pas à la suite de quelle aventure.

— Laissez-moi ce plan. Il faut que je voie où poster mes hommes.

Cette simple phrase eut le don de détendre l'écrivain. Pendant qu'il schématisait les agissements probables de l'individu en question, il s'était trouvé dans le même état de surexcitation et de tension intérieure que lorsqu'il demeurait seul dans la pénombre de son bureau, assis devant sa machine à écrire dont une lampe de cent watts éclairait les touches luisantes, en train d'estourbir un de ses héros de roman. Il ne faisait que transposer la fiction dans la réalité, avec la prescience toutefois que les faits risquaient de ne pas s'en référer à son unique imagination et de déborder le cadre prévu, d'où la sensation de malaise intime qu'il ressentait, malgré l'appui que venait de lui accorder le commissaire, malgré la présence de son meilleur ami, malgré la chaleur rassurante des flammes dans la cheminée, domestiquées à souhait tandis qu'elles couraient sur le bois mort.

Il avait dû pâlir, car Jacques d'Orsonval lui jeta un regard inquiet.

— Vous prendrez bien le petit déjeuner ? dit la femme du commissaire, en surgissant à l'improviste, porteuse d'un plateau abondamment garni de toasts chauds, de petits pots de miel et de confiture.

Prestement, elle dressa une table après avoir serré la main des invités de son mari.

— Thé ou café, Sir Herbert ?

Sa présence, au demeurant très féminine, détendait l'atmosphère. Censée ne rien savoir de l'opération qui se préparait, elle ne s'attarda guère quand le service eut été fait, mais son apparition avait été comme un rayon de soleil dans cette pièce austère, un rayon de soleil porteur d'espoir...

— Une dernière question, monsieur le détective, intervint Villemain qui finissait par considérer l'étranger comme un phénomène, tant il s'était exprimé avec autorité et intelligence, on dirait que vous préparez tout pour accueillir quelqu'un de bien précis et non pas un parfait inconnu. Auriez-vous une idée de son identité ? Le compagnon du vieux Riri vous aurait-il confié quelque chose que vous nous cachez encore ? Pour avoir le beau rôle et nous damer le pion ?

— Vous avez dit : « une dernière question » et vous m'en posez trois ! s'exclama Herbert dont un sourire en coin éclairait la physionomie. En vertu du fait que je ne suis sûr de rien, me permettrez-vous de ne pas y répondre ? Je ne voudrais pas gâcher votre plaisir de la découverte ni l'intime satisfaction que j'éprouverai à vous voir passer les menottes à ce gredin !

Il s'en sortait avec une pirouette. Contrarié, le commissaire haussa les épaules. Il espérait bien qu'Herbert Smith ne s'attribuerait pas tout le mérite de cette arrestation. D'ailleurs, songea-t-il avec pessimisme, le criminel n'était pas encore tombé dans le panneau. Il pouvait s'en passer des choses d'ici là ! C'était bien ce qui le contrariait le plus. L'affaire ne lui disait rien qui vaille ; il y avait trop d'aléas, trop de conditions à respecter. Il faudrait aussi obtenir l'accord des autorités hospitalières. Un hôpital n'a jamais été un champ de tir, ses hommes devraient donc s'abstenir d'user de leurs armes. Le prendre par surprise, c'était bien ainsi que l'entendait Herbert Smith.

Le commissaire, comme l'écrivain, aurait bien voulu

être au surlendemain. Une journée et demie d'attente, quel supplice !

⁂

Les heures s'écoulèrent pourtant plus vite qu'ils ne l'avaient prévu.

Le mercredi matin, *La Montagne* parut avec, en gros titre à la une, l'annonce de l'événement qui avait eu lieu quelques heures plus tôt :

« La nouvelle est assez réconfortante pour que tous ceux qui se sont intéressés au cas de Mlle Ludmillia von Bremer, la jeune Autrichienne accidentée à Paris et demeurée dans le coma depuis lors, se réjouissent. La blessée a émergé de l'inconscience aux alentours d'une heure du matin. L'infirmière de nuit a immédiatement alerté le professeur Jaroski qui envisageait non sans réticence une intervention chirurgicale la veille encore. Le professeur et son équipe se montrent très optimistes. On sait que la police s'est aussitôt dérangée, mais le commissaire comme ses adjoints ont été refoulés. Il faudra certainement attendre plusieurs jours avant que l'on puisse interroger la jeune fille, trop " choquée " dans le sens médical du terme pour répondre aux questions qu'on serait en droit de lui poser... »

Suivait un rappel des circonstances dans lesquelles elle avait été découverte sur la voie publique par le célèbre auteur Herbert Smith.

« Minuit, quai d'Orsay... un titre de roman ! » concluait le journaliste avec une pointe d'humour.

— Un titre que je pourrai en effet mettre à profit ! ironisa l'écrivain qui venait de rabattre le journal, après avoir lu l'article à haute voix pour John et Eric. Quelle histoire !

— J'y vais ! dit Eric en saisissant sa veste qu'il avait posée sur le dossier d'une chaise.

A sa grande surprise, John lui barra systématiquement le passage.

— Il n'en est pas question ! intervint l'écrivain avec fermeté.

— Comment ? De quel droit m'en empêcheriez-vous ?

Incrédule, il les fixait tour à tour.

Ce qu'il lut sur leur visage l'impressionna sans doute, car il recula.

— Non, mais... Vous ne parlez pas sérieusement ?

Il avait haussé le ton et se démenait tel un beau diable, allant jusqu'à frapper John qui, d'une prise adroite, l'envoya rouler sur le tapis.

Eric se redressa tant bien que mal, hurla qu'il avait devant lui des monstres d'égoïsme et finit par s'effondrer sur un siège, la tête entre les mains.

— Nous étions fiancés..., gémit-il. Dois-je vous le rappeler ? J'attends cette minute depuis des mois qui m'ont paru des siècles ! (Puis, bondissant de nouveau :) Allons, ôtez-vous de mon chemin, John ! Vous voyez bien que votre maître délire ! De quel droit m'interdit-il d'approcher Ludmillia ? Il n'est pas le bon Dieu, que je sache !

— Calmez-vous ! lança Herbert qui, appuyé contre le montant de la croisée, n'avait pas bougé de son poste d'observation pendant que le jeune homme gesticulait. Ce n'est pas moi qui vous l'interdis, mais la prudence la plus élémentaire. J'ai téléphoné à l'hôpital dès que j'ai eu le journal en main. Le moindre choc pourrait lui être fatal ou du moins lui porter gravement préjudice. Certes, elle a ouvert les yeux et s'est redressée pour demander : « Où suis-je ? », puis elle est retombée sur son oreiller, comme épuisée par un effort trop grand. Quelques instants plus tard, elle s'est plainte d'un violent mal de tête. Un rien pourrait compromettre sa guérison. Il ne suffit pas qu'elle soit sortie du coma, encore faut-il qu'elle retrouve la mémoire. Cela ne saurait tarder, rassurez-vous, mais en attendant, si vous aimez vraiment votre amie d'enfance, montrez-vous circonspect.

— Si je l'aime ! s'insurgea Eric. Je crois que je l'ai prouvé !

— Justement...

Le calme du romancier finissait pas l'impressionner. Quant à John, s'il barrait toujours la porte du salon, il n'était plus sur la défensive. Ceinture noire de judo, il n'aurait eu aucun mal à neutraliser ce grand gringalet un peu trop excité pour son goût.

Eric lui lança un regard rancunier et s'affala de nouveau dans l'unique fauteuil que contenait la salle de séjour exiguë, en dehors d'un canapé-lit, d'une table et de quatre chaises. Sur un couloir de proportions tout aussi restreintes s'ouvraient une kitchenette et deux chambres aux papiers peints délavés. L'ensemble ne respirait pas le luxe ; Herbert se disait qu'il n'avait jamais été aussi mal logé. Cependant l'appartement, situé dans une tour de béton au quatrième étage, « heureusement avec ascenseur ! » pensait-il, avait le mérite d'être, de par sa situation à la limite de Chamalières et sur la route de Fontmaure, un abri avantageux pour plusieurs raisons, dont une cabine téléphonique à deux pas de là... Son sens de l'organisation lui avait fait juger le « repaire » idéal. John et lui occupaient les chambres, tandis qu'Eric dormait dans le séjour. Trois trousseaux de clefs permettaient de sortir aisément et de rentrer de même. La liberté d'action était une règle qu'Herbert avait toujours préconisée. Dans le cas présent, pourtant, elle était légèrement malmenée, il le reconnaissait, et il s'en excusa auprès du jeune homme.

— Vous avez attendu si longtemps que vous pouvez bien patienter encore quelques jours ! Laissez Ludmillia reprendre fermement pied dans la vie, elle ne sera que plus heureuse de vous retrouver !

— Oui, vous avez raison.

Ayant enfin obtenu d'Eric Lund la promesse qu'il ne se rendrait pas à l'hôpital avant que les praticiens lui en eussent donné l'autorisation, Herbert Smith se retira dans sa chambre pour écrire à des amis. John alla faire des courses. L'après-midi passa tant bien que mal. Après le dîner, vers vingt heures trente, Eric déclara, non sans agressivité, qu'il projetait d'aller au cinéma.

— J'espère que vous n'y voyez pas d'inconvénient ?

Pour toute réponse, Herbert haussa les épaules.

— Vous avez l'âge de raison, non ? Ceci dit, plus vous vous distrairez, mieux cela vaudra...

Une pointe d'émotion parut voiler le regard du jeune homme derrière ses lunettes cerclées d'or.

— Pardonnez-moi si je n'ai pas été très raisonnable ce matin... Et surtout, ne me prenez pas pour un ingrat. Je n'oublie pas tout ce que je vous dois !

— N'en parlons plus, mon garçon ! Pensez plutôt au bel avenir qui vous attend lorsque votre Ludmillia quittera Fontmaure à votre bras ! Je demanderai que sonnent les cloches de la chapelle. Elles ne connaissent que les chants funèbres, mais pour l'occasion elles tinteront dans l'allégresse ! Ce sera magnifique !

Eric, les mains dans les poches de son pantalon, se dandina sur une jambe et sur l'autre, selon sa manie. Il bredouilla un « merci ! » chaleureux et s'en fut, au grand soulagement d'Herbert.

— Enfin libres, John ! Il n'y a pas de temps à perdre !

— Non, Sir, mais « eux » sont déjà là-bas, n'est-ce pas ?

— Sans nul doute...

Avares de paroles, ils se retirèrent dans leurs chambres et en sortirent simultanément quelques instants plus tard. On sentait qu'ils avaient l'habitude d'accorder leurs gestes et leurs pensées. Un simple regard leur suffisait pour se rappeler mutuellement à l'ordre. Herbert sortit son Smith & Wesson et le chargea. John en fit autant avec son 357 Magnum. Tous deux s'étaient vêtus d'un pantalon et d'un pull-over noirs qui, tout en leur laissant une parfaite liberté de mouvements, les aideraient à passer inaperçus. S'habituant déjà au silence qu'ils devraient respecter tout à l'heure, Herbert questionna brièvement :

— Prêt ?

Pour toute réponse, son fidèle valet inclina la tête. Il avait les traits graves d'un homme déterminé. Plus nerveux peut-être, mais tout aussi décidé apparaissait l'écrivain. D'un commun accord, ils laissèrent la salle de séjour et l'une des chambres allumées, puis ils quittèrent l'appartement en empruntant l'escalier. Personne ne les vit sortir de l'immeuble et se diriger vers la voiture que l'Anglais avait louée la veille, et qu'il avait pris la précaution de garer à quelque vingt mètres de là, le long du trottoir.

Le véhicule démarra et se trouva bientôt au carrefour d'où s'élance la route qui conduit à Fontmaure. La lune, tel un pierrot grimaçant, éclairait l'hôpital de sa lueur fantomatique. Sa grande masse sombre percée de points lumineux au premier et au second étage semblait guetter le ciel ou le défier. Jamais l'ancien couvent n'était apparu à Herbert Smith aussi impressionnant. Derrière ces murs, la vie luttait avec la mort. De ce combat singulier et permanent émanait une sensation d'angoisse qui lui serrait la gorge au point qu'il éprouva le besoin de se l'éclaircir. John lui jeta un regard en coin qui en disait long sur sa propre incertitude.

— Et s'il ne venait pas, Sir ?

— Il viendra !

Ce furent les deux derniers mots qu'ils échangèrent. Dans la descente du parking, le romancier coupa le moteur de la Fiat qu'il gara tant bien que mal. Le sol encore enneigé crissait sous leurs pas tandis qu'ils s'en éloignaient en courant. Ombres parmi les ombres de la nuit, ils se glissèrent dans le petit jardin bordé de buis. Un silence que rompaient seuls les aboiements persistants d'un chien régnait autour d'eux. Leurs yeux qui s'habituaient peu à peu à l'obscurité ne distinguaient nulle silhouette en faction. « Un bon point pour le commissaire ! pensa l'écrivain. Qui pourrait se douter que Fontmaure est encerclé ? » Puis il eut un doute : « Et si Villemain n'avait pas tenu sa promesse ? Non, impossible ! »

D'un bond, il venait de gagner le parvis. Plaqué contre le mur, il écouta... Le cri d'un oiseau de nuit fit écho au ronronnement lointain des voitures qui se croisaient au carrefour, à un bruit de klaxon, au sinistre appel d'une voiture de pompiers. La ville, monstre assoupi au souffle rauque, ne dormait que d'un œil...

Maintenant, ils longeaient la façade sur la cour en direction de la petite porte.

Tirant une clef de sa poche, Herbert l'ouvrit sans difficulté. Suivi de John, il pénétra dans le bâtiment et referma soigneusement derrière lui. Les deux hommes alors se séparèrent comme il en avait été décidé.

Pendant que John empruntait l'escalier de service, Herbert traversa en courant la galerie, afin d'atteindre le hall d'entrée. Une vision immédiate des lieux lui fit trouver un salon d'attente à sa gauche, des toilettes et l'infirmerie juste à sa droite. Devant lui s'élançait le grand escalier réservé aux visiteurs. Eclairé par de hautes fenêtres au travers desquelles passaient les rayons lunaires, il demeurait parfaitement accessible. Herbert mit le pied sur la première marche.

Un léger craquement lui fit identifier un homme tapi dans la cabine téléphonique. D'un signe rapide, ils communiquèrent, puis le romancier commença à monter. Le palier du premier étage, très spacieux, avait été agrémenté de meubles rustiques et de plantes vertes. Sur ce dernier s'ouvrait la porte de la chapelle. Entrebâillée, elle ne laissait entrevoir que l'obscurité la plus complète, une cachette idéale qu'avait dû mettre à profit le commissaire Villemain ; du moins Herbert l'espérait-il. L'autre porte délimitait la galerie. Un éclairage parcimonieux de place en place accentuait encore sa longueur, mais il était impossible de ne pas repérer quelqu'un à l'autre bout, d'où le piège mortel qu'elle représentait aussi bien pour les policiers que pour l'assassin. La garde de nuit sortit d'une chambre en poussant devant elle un chariot de médicaments. Fort heureusement, elle s'en alla vers la tisanerie. Herbert attendit qu'elle y disparût pour s'élancer à son tour. 125... 124... 123... C'était dans cette dernière chambre que Villemain avait dû concentrer ses hommes. 122... Derrière ce battant, Ludmillia dormait de ce sommeil comparable à celui de l'éternité où elle n'avait pas cessé d'être plongée depuis son accident. Et on la croyait guérie, ou presque... Mon Dieu !

Chassant la houle de chagrin qui le submergeait, l'Anglais s'enferma dans la chambre 121. On avait laissé le plafonnier allumé. Il vérifia qu'elle était bien vide avant d'éteindre, puis il se posta dans l'entrebâillement de la porte. L'attente alors commença... Une attente qu'animaient seuls les va-et-vient de l'infirmière.

Minuit sonna quelque part. Au douzième coup, Herbert abaissa son arme. La crispation engourdissait ses doigts. Dans le silence d'une nuit particulièrement calme pour un hôpital de cette importance, le tic-tac de sa montre hachait le temps à petits coups réguliers, inexorables, et arrivait même à supplanter les battements de son cœur.

« Il ne viendra pas... »

Au même moment, une ombre se glissa le long de la tour carrée. Avec une précaution vigilante, elle tourna la poignée de la petite porte. Sentant qu'elle résistait, elle y introduisit un passe, puis un autre... La serrure céda rapidement. L'ombre pénétra sans bruit à l'intérieur, écouta... Rien ne lui avait paru anormal jusque-là. Pourtant... l'homme ne pouvait se défendre d'une certaine anxiété, un pressentiment qu'il s'efforçait d'anéantir, mais qui le frappait de temps à autre de son poing d'acier et lui coupait le souffle.

« Voyons, c'est ridicule. Vêtu de la sorte, qui ne me prendrait pour un malade ? »

Pyjama rayé et pantoufles, tout y était...

« Ce n'est pas si bête ! », pensa-t-il avec satisfaction. Mais il n'avait pas de temps à perdre, les remarques de ce genre seraient pour plus tard ; il aurait la vie devant lui pour y réfléchir. L'heure était à l'action... Neutraliser l'infirmière tout d'abord. De sa cachette, dans le renfoncement de l'escalier, il la guetta. Elle n'en finissait plus d'arpenter le couloir. Le léger grincement que son chariot faisait sur le lino l'empêcherait de percevoir d'autres bruits. Malheureusement, elle venait droit sur lui et ce n'était pas ce qu'il voulait. Il la laissa pénétrer dans la pièce où elle faisait chauffer les tisanes, alors, d'un bond, il fut sur elle. A peine avait-elle eu un semblant de défense qu'un tampon de chloroforme sous le nez la priva de réflexes. Il patienta quelques instants encore pour être sûr de son silence et l'abandonna, inerte, sur le carrelage. Une glace de petite dimension, accrochée au mur, lui renvoya brièvement son image. Elle lui parut si déformée qu'il ne se reconnut pas. Il était vrai qu'il s'était affublé d'une moustache et d'une barbe d'un blond roux qui ne laissaient voir de sa bouche qu'un trait sanguinolent en en accusant la cruauté. Renonçant à toute autre analyse, l'homme jeta un regard sur le réchaud où une bouilloire sifflait. Un « canard » garni d'une infusette de camomille attendait sur un plateau. Il le remplit d'eau bouillante et s'en empara. Maintenant il fallait avoir l'air naturel... Une autre infirmière pouvait surgir, l'interroger... Il avait tout prévu. Il se laisserait traiter comme un malade en vadrouille et ferait semblant de regagner sa chambre, n'importe laquelle, pourvu qu'elle se trouvât à proximité de la 122. Ce serait probablement une infirmière d'un autre étage, elle n'y regarderait pas de si près... se dit-il encore pour se donner du courage. Aussi parfaitement résolu qu'il fût, il mesurait les risques. Surtout ne pas avoir besoin d'en venir aux mains ! Il était là pour achever Mlle von Bremer, non pour semer la mort sur son passage, mais s'il y avait le moindre pépin, il n'hésiterait pas. Il avait parcouru un trop grand chemin pour revenir en arrière et éprouver de la contrition. Lui eût-on fait la morale qu'il aurait éclaté de rire. Il y avait belle lurette qu'il ne s'embarrassait pas de préjugés de cette sorte, d'autant qu'il allait peut-être rendre à Ludmillia un fameux service en la délivrant d'une vie qui, croyait-il, n'en serait plus une, pour peu que son cerveau eût subi quelque grave dommage. Voir les choses sous cet angle le réconfortait.

Se voûtant légèrement pour mieux jouer son personnage, il sortit de la cuisine et émergea de la zone d'ombre du palier. Au seuil de la galerie, il hésita. Personne ! C'était le moment.

Hâtant le pas, surveillant l'infusion dans le verre en plastique qu'il n'avait pas recouvert de son couvercle, l'homme s'avança. Un mètre... Deux mètres... Cinq mètres... Ah ! la porte de l'ascenseur...

Il passa devant les fenêtres en enfilade, entendit soudain un bruit de pneus sur le gravier de la cour intérieure et fut inondé par la lumière des phares de la voiture qui venait d'y pénétrer. En contrebas, on pouvait avoir repéré sa silhouette. Ce n'était plus la peine de jouer au malade... L'homme se mit à courir sans lâcher pour autant le plateau où se répandait la camomille. Chambre 120, 121... 122 !

Il s'y rua comme un démon. Malédiction ! Il y eut un cri de souffrance. Le policier surgi devant lui avait reçu en pleine face le liquide brûlant. Aussitôt l'agresseur leva son couteau. Pourquoi, dans la clarté diffuse de la lampe de chevet, s'attarda-t-il à contempler l'espace d'une seconde le joli visage plus pâle qu'un suaire sur l'oreiller tout blanc ? Une seconde de trop !

Herbert Smith bondit.

— A moi ! Je le tiens !

— Permettez, Sir !

Les policiers qui firent irruption dans la chambre assistèrent au dernier round.

John, superbe, empreint d'un calme impressionnant, s'était emparé d'un bocal de verre. Il l'assena avec une telle force sur le crâne de l'individu que celui-ci s'écroula comme un château de cartes sur lequel aurait soufflé la tempête !

— Eh bien ! Vous n'y allez pas de main morte ! s'écria le commissaire, un peu dépité que ses adjoints n'eussent pas eu le loisir d'intervenir.

— Dans sa chute, sa barbe s'est déplacée, chef !

— Tiens, tiens !

Villemain se pencha et arracha l'ornement pileux d'un coup sec. Entre le lit et le mur, l'espace était restreint. Il se redressa très vite pour laisser ses hommes profiter du spectacle.

— Eric Lund ! Lui !

Pourquoi en cet instant Herbert Smith cessa-t-il de s'intéresser à ce grand corps maigre étendu à ses pieds ? Pourquoi, dans un élan d'émotion et d'apitoiement, préféra-t-il prendre la main de la jeune comateuse ? Il allait caresser son front, mais ce dernier geste, il ne put l'accomplir...

Saisi, bouleversé, il n'osait croire encore ce qu'il voyait... Depuis combien de temps Ludmillia avait-elle ouvert les yeux ?

Aussi bleu qu'un lac de montagne à la fonte des neiges, il avait devant lui le plus extraordinaire regard qu'il lui eût été donné de contempler depuis longtemps, et ce regard, oui, ce regard-là « vivait » !

II

— Dégagez la chambre ! Appelez les médecins, une infirmière ! Vite ! Vite !

Il y eut un moment de flottement, de surprise.

Sur l'ordre de Villemain, les policiers refluèrent en désordre. On attrapa l'assassin sous les aisselles, juste comme il commençait à reprendre ses esprits, puis on le poussa d'une bourrade dans le couloir. Ludmillia avait tourné la tête ; elle frémit de tout son être en prononçant des mots que personne ne comprit, tant sa voix était faible. Un bref instant son agresseur la dévisagea. Alors elle se mit à pleurer.

Le silence, maintenant, était revenu dans la chambre. Herbert n'avait pas quitté la main de la jeune fille, après avoir attiré une chaise auprès du lit. Il savait que les larmes bienheureuses qui la secouaient toute étaient une première étape vers une guérison certaine. D'ailleurs, la chaleur de ses doigts sur son poignet l'apaisait peu à peu. L'interne et les infirmières qui avaient constaté le miracle décidèrent de ne pas intervenir.

— Vous pouvez aller, dit Herbert. Je passerai la fin de la nuit à son chevet.

— Mais le règlement..., dit le jeune médecin d'un ton sévère.

— Le règlement ? Je m'en moque ! gronda l'écrivain.

Quand Dieu intervient, les hommes et leurs lois stupides n'ont plus qu'à s'effacer !

Il avait dit cela avec une telle force, il était animé d'une telle foi que, malgré eux, ils en furent impressionnés. Moins d'une demi-heure plus tard, du reste, le professeur Jaroski pénétrait à son tour dans la chambre. Ludmillia s'était paisiblement endormie.

— Du bon travail, Sir Herbert ! s'exclama-t-il. Son pouls bat régulièrement, sa respiration est des plus normales. Avec un peu de chance, rien n'entravera désormais son rétablissement. Tout de même, quand je pense qu'il voulait la poignarder ! Quelle horreur !

— Je sais depuis longtemps que l'homme est pire qu'un animal féroce. Certains ne se connaissent plus quand on agite devant eux le spectre de la fortune ! Mlle von Bremer était riche, très riche, voyez-vous...

— Etait ?

— On l'a passablement dépouillée, mais nous ferons rendre gorge à son kidnappeur. Il n'a certainement pas eu le temps de profiter beaucoup de ce qu'il lui a volé. Il devait rester aux yeux du monde le modeste jeune homme besogneux que chacun connaissait. Les braves habitants d'Heiligenblut n'en reviendront pas ! Pensez donc ! Un des leurs ! Je plains simplement ses malheureux parents. Fraü Lund ne s'en remettra pas, je le prédis sans risque de me tromper. Pauvres gens !

— Enfin, comment avez-vous deviné ?

— Je n'étais sûr de rien, voyez-vous, professeur... Le récit d'Eric Lund était parfaitement cohérent, bien qu'un peu trop romanesque pour mon goût. N'importe qui aurait été abusé. Dommage que pour le rendre plus angoissant encore, il en ait fait un peu trop avec le docteur Dicks. Jamais personne n'a trafiqué les freins de sa voiture ! Le pauvre homme a tout simplement raté un virage, comme j'en ai eu confirmation en téléphonant au commissariat de Drumnadrochit ces jours-ci. Quant à la vieille maison dans la forêt, elle existe bel et bien, et il est probable que Mlle von Bremer soit en vérité une Whiseley. Comment le prouver ? Comment établir un rapprochement entre cette petite Ecossaise enlevée quelques semaines après sa naissance, et le solide poupon autrichien apparu au foyer des von Bremer peu après ?

— Vous réussirez à l'expliquer ?

— Est-ce bien souhaitable ?

Il était peut-être préférable de laisser dormir le passé, préférable aussi de ne pas tourmenter Ludmillia avec des questions d'ordre pratique et surtout matérielles, ce qui ne manquerait pas de se produire si l'on essayait d'établir qu'elle était la fille de Robert Whiseley.

— Cet homme est-il encore en vie ?

— J'ai mis deux détectives sur sa piste. Après la mort de son père, James Whiseley, surnommé « le vautour », tant il s'était montré retors en affaires, après la mort de sa femme, la jolie Mary, née Herkins, et l'enlèvement de sa fille, Robert Whiseley fut pris d'un désir de fuite bien compréhensible. Il ferma donc Whiseley-Hall et s'exila, croit-on, en Amérique. Il y a dix-huit ans de cela, l'âge de Ludmillia...

Herbert eut un regard ému en direction de la jeune fille.

— Vous l'aimez beaucoup, n'est-ce pas ?

— Ne s'attache-t-on pas à ce qui vous donne le plus de mal, professeur ? Voyez-vous, je la considère un peu comme mon enfant. Qu'elle soit une Whiseley ou une von Bremer, elle n'a plus de père pour s'occuper d'elle. Et après ce qui vient de lui arriver, elle aura bien besoin d'affection et de soutien.

— Je n'en attendais pas moins de vous...

Vers neuf heures du matin, l'écrivain consentit enfin à quitter le chevet de sa jeune protégée. Il rentra à l'appartement, se changea, prit un solide petit déjeuner, préparé par les soins attentifs de John. Redevenu le majordome stylé dont il donnait à longueur d'année une parfaite illustration, personnage qu'il n'hésitait pas, cependant, à transformer selon les circonstances, John se réjouissait d'entamer avec l'écrivain une longue conversation qui dut être remise à plus tard, car le commissaire Villemain téléphona dans le quart d'heure suivant.

— Le juge Richemond désire non seulement vous féliciter, mais vous questionner. Il estime que vous êtes le seul à pouvoir démêler les fils du drame. Vous avouerai-je que beaucoup de choses nous échappent encore ?

— Je le conçois, concéda l'Anglais, mais votre prisonnier vous renseignera mieux que je ne saurais le faire...

— Mené par vos soins, l'interrogatoire aurait plus de cohésion, vous ne pouvez le nier... Allons, un dernier effort, Sir Herbert ! Nous vous promettons de ne pas abuser de votre bonne volonté.

— Encore heureux ! grommela le romancier en raccrochant le récepteur. John ! Habillez-vous, je vous emmène... Il est juste que vous profitiez de la représentation ! Je parie tout ce que vous voulez qu'Eric se montrera odieux !

⁂

Dans le bureau du juge chargé de l'affaire, ils étaient maintenant tous réunis.

Affalé sur une chaise, la tête basse, Eric Lund n'avait plus rien du jeune homme de « bonne famille » que chacun prenait pour un si brave garçon ! On lui enleva les menottes et il se frictionna vigoureusement les poignets. Au cours de la bagarre qui avait précédé son incarcération, il avait perdu ses lunettes, si bien qu'il voyait les silhouettes autour de lui dans un nuage nébuleux. Ses petits yeux de myope dans ce visage veule étaient traversés de lueurs assassines. Sur un signe du juge, un gardien lui tendit les verres cerclés d'or. Il les chaussa sans mot dire et tout aussitôt son attitude changea.

— Je réclame un avocat, dit-il. Après tout, je n'ai tué personne !

— Parce que nous sommes arrivés à temps !

— Vous ! Toujours vous, Smith ! lança-t-il avec une haine contenue en s'adressant à l'écrivain. Le roi des détectives, hein ? Les superlatifs qu'employait ma mère en parlant de vous sont bien en dessous de la réalité ! Vous avez l'âme d'un flic, un sale flic ! Me direz-vous depuis quand vous saviez ?

— Je vais me faire un devoir de vous l'expliquer, répliqua Herbert sans laisser le mépris qu'il éprouvait envers cet infâme individu prendre le pas sur son self-control.

— Quand vous avez décidé de monter le piège qui a si habilement fonctionné, était-ce bien lui que vous attendiez ? coupa le juge.

— Il y avait huit chances sur dix pour que ce fût lui. Les deux autres chances étaient représentées dans mon esprit par la personnalité inquiétante du cousin de Ludmillia : Christopher von Bremer. Je dois dire que j'ai quelque temps hésité entre les deux.

— Il aurait pu y avoir un troisième homme...

— Ce troisième homme existe, monsieur le Juge. Eric Lund s'était acoquiné avec l'ancien majordome de James Whiseley, Karl, un repris de justice qui, de plus, possédait un secret valant son pesant d'or. Mais, si vous le permettez, reprenons les faits par le début...

Il se cala dans son fauteuil, laissa un instant son regard errer sur les personnes qui l'entouraient, puis se perdre au-delà de la fenêtre, sur les monts verdoyants d'Auvergne, enfin il enchaîna :

— Comme vous le savez — par le récit écrit que nous a fait si complaisamment Eric — Mlle von Bremer et lui se côtoyaient depuis l'enfance... Ce qui n'était que jeux de gamins se transforma peu à peu en divertissements moins innocents, bien que l'amour dans tout cela n'eût tenu qu'un bien faible rôle. Eric appréciait Ludmillia pour ce qu'elle était susceptible de lui apporter plus tard, quand à sa majorité il pourrait l'épouser : un château, des terres, une position. Quelle revanche pour le fils de l'ancien garde-chasse des barons de Bremer ! Il était si certain que Ludmillia ne résisterait pas à la cour assidue qu'il lui faisait que, de son côté, il menait à Vienne joyeuse vie... Comment y fit-il la connaissance d'une divorcée qui, collectionnant les milliardaires, s'offrait en dehors de cela quelques « extras », entendez par là de beaux jeunes gens sans le sou, je l'ignore... Qu'importe ! Toujours est-il que cette femme lui tourna la tête au point qu'il ne songea plus qu'à se procurer de l'argent, beaucoup d'argent, pour être le seul à l'entretenir. Cela relève d'un processus qui n'est pas nouveau sous le soleil ! Bref ! Eric pressa Ludmillia de l'épouser dès qu'elle aurait atteint ses dix-huit ans dont la date approchait à grands pas.

« Quelle ne fut pas sa surprise quand il la vit tergiverser, puis avouer qu'elle ne comptait pas devenir Mme Lund.

« Elle l'aimait certes, mais comme on aime un camarade d'enfance, sans élan ni enthousiasme particulier.

« J'imagine la scène, d'après ce que m'en a dit la vieille Marion Reiner. Eh oui ! mon cher Eric. Vous vous êtes servi de Marion pour m'intriguer tout au long de votre récit, et vous y avez parfaitement réussi ! Grâce à mon ami Jacques d'Orsonval qui se mit en rapport avec son homologue autrichien, et ce dernier avec les services compétents, il ne me fut pas difficile de retrouver l'ancienne lingère de Ludmillia. Elle est actuellement retirée dans une communauté religieuse d'Innsbruck. J'allai la voir. Quand ? me direz-vous. Pas plus tard que la semaine dernière...

— Vous m'aviez affirmé que vous partiez chasser quarante-huit heures en Sologne, histoire de vous détendre les nerfs !

— Les mensonges sont quelquefois bien utiles ! Donc, Marion parla... Elle ne le fit pas sans réticence ; la certitude que Ludmillia risquait sa vie l'obligea à me dévoiler ce qu'elle savait. Le baron Hans von Bremer et sa femme, Greta, ne pouvaient avoir d'enfants. D'éminents praticiens s'étaient penchés sur le cas de la jeune femme, sans succès. Désespérés, le baron et la baronne décidèrent d'aller passer quelque temps en Suisse et

Marion les suivit. Ce fut deux jours plus tard, par une nuit de tempête, qu'on frappa à la porte de l'office du chalet qu'ils occupaient. A sa grande stupeur, Marion vit surgir devant elle son propre frère, Karl, qu'elle n'avait pas vu depuis des années. Il était porteur d'un bébé de quelques semaines qu'il lui intima l'ordre de garder. « Elle est orpheline, ajouta-t-il. Est-ce que ça ne pourrait pas faire l'affaire des von Bremer ? Tâche de les persuader de la faire passer pour leur fille, et nous n'aurons plus jamais à souffrir de quoi que ce soit sur cette terre... » Deux heures plus tard, il était parti. Marion s'exécuta. Elle aussi avait entrevu tous les avantages qu'elle pourrait tirer de ce secret. Il ne fut pas difficile de convaincre la baronne. Comment le baron alla-t-il jusqu'à soudoyer un médecin véreux pour obtenir de lui un certificat de naissance ? Quoi qu'il en fût, le bébé fut déclaré à Bulle et ramené en Autriche au bout d'un an seulement. Pendant toutes les années qui suivirent, Marion bénéficia d'un traitement de faveur. De nombreux émoluments qu'elle partageait avec son frère achetaient leur silence. Rien n'aurait jamais transpiré si les von Bremer n'étaient morts et si le frère du baron, le fameux Oscar, n'avait été nommé tuteur de l'enfant. Sur les instances de Karl, Marion dévoila au nouveau maître du château de Bremer le secret qui pesait sur sa nièce. Il les traita d'infâmes coquins et, pendant des années, ne céda en rien à leur chantage, jusqu'au jour où Karl décida d'agir. Marion eut beau intervenir, rien n'y fit. Karl alla trouver Eric Lund et lui fit part de ce qu'il savait. « Celui-là, pensait-il, quand il sera le mari de Ludmillia, sera beaucoup plus facile à manœuvrer... » Et tout aurait été pour le mieux dans le meilleur des mondes si la jeune fille n'avait obstinément refusé d'épouser son camarade d'enfance ! Or, Eric avait un extrême besoin d'argent. Sa maîtresse, la belle Anita Deerbach, menaçait de le plaquer... Tout s'écroulait autour de lui. Le travail qu'il faisait au sein de la *Kronen Zeitung* le remplissait de haine envers l'humanité tout entière. Non, il ne serait pas dit qu'il croupirait dans cette pétaudière, alors que tant d'autres menaient la belle vie ! Voilà, monsieur le Juge, comment Eric Lund écouta d'une oreille complaisante les révélations de Karl, le frère de Marion. Une suprême astuce lui fit envoyer une lettre anonyme à l'objet de ses désirs. Quand Ludmillia en eut pris connaissance, elle alla derechef trouver Marion.

« " Elle tremblait de tous ses membres, me raconta la vieille femme. Vous ne sauriez deviner à quel point le fait de n'être pas la fille des von Bremer a pu la choquer. Et tout de suite, elle a voulu connaître la vérité. Je lui dis alors que mon frère avait été autrefois ruiné par la faute d'un Ecossais, un certain James Whiseley, et que, pour se venger, il avait enlevé sa petite-fille. Je lui racontai comment, après avoir franchi les frontières de France et de Suisse, il me l'avait confiée. — Mon frère n'est pas un méchant homme, Mademoiselle... Il avait seulement agi sous l'emprise de la colère, comprenez-vous ? Et après tout, vous n'avez pas perdu au change ! — Ce fut une parole de trop. Aussitôt, Ludmillia se mit dans la tête d'aller voir ce qu'il en était exactement. Je ne pus la retenir, Monsieur Smith, je vous assure... Naturellement, elle confia à Eric, dont elle ne se méfiait nullement, qu'elle comptait retrouver ses origines. — Marion m'a parlé d'une maison en pleine forêt à deux pas du loch Ness. Whiseley-Hall... C'est là que je serais née. — Elle n'osait encore croire tout à fait à la véracité de cette histoire, et elle n'eut jamais l'occasion de vérifier l'exactitude de mes renseignements... " Messieurs, je crois vous avoir raconté la suite, termina Herbert. En transit à Paris, Mlle von Bremer fut enlevée par Karl et Eric, puis séquestrée dans cet hôtel abandonné de la rue de Talleyrand. Ai-je comblé votre légitime curiosité ?

Le commissaire et le juge allaient ouvrir la bouche, mais Eric Lund les devança :

— Comment avez-vous su pour Anita ?

— Le soir où je vous ai ramené chez moi, à moitié soûl, je me mis en demeure de fouiller votre portefeuille. Vous y aviez la photographie d'une jolie personne qui était loin de ressembler à Ludmillia. Et pour comble de malchance, il se trouvait que je la connaissais !

— Vous ? Vous connaissez Anita ?

Eric avait l'air stupide, tant il était surpris.

— Eh oui ! Quelquefois, le destin fait bien les choses ! J'ai eu l'occasion de la rencontrer chez une de mes vieilles amies, la marquise de Marmandier. Elle me l'a présentée sous le nom d'Anita Léger. L'affriolante personne venait de se remarier. De là à obtenir très rapidement son nom de jeune fille et ses antécédents, il n'y avait qu'un pas... Vous aviez obtenu d'elle qu'elle vous prêtât son hôtel particulier. J'ose espérer pour sa réputation et celle de son gros homme de mari qu'elle ignore à quoi il a servi !

— Elle l'ignore, je vous l'affirme !

— Tant mieux !

— Une photo, ce n'est tout de même pas ce qui vous a mis sur ma trace ! Tous les jeunes gens ont des maîtresses !

— J'ai également fouillé votre voiture, Eric. Dans le coffre à gants, j'ai trouvé un 7,35 encore chargé.

— Et alors ?

— Ne m'aviez-vous pas dit que vous vous étiez rendu auprès du baron Oscar avec pour seule arme un poing américain ?

— Je ne l'ai pas tué !

— Non ! C'est probablement Karl, votre complice, qui s'en est chargé.

— Pas du tout ! Nous avions fini par entraîner le baron dans notre complot. Sans lui, nous n'aurions pu procéder à des transactions légales... Puis, quand il a appris que sa nièce s'était échappée, il a pris peur. Il devenait tous les jours plus difficile d'obtenir son silence. Il menaçait de se suicider. Je l'y ai un tout petit peu poussé...

Avec quel cynisme il s'exprimait ! S'il regrettait quelque chose, c'était seulement d'avoir échoué, en fin de compte.

— Il me reste une question à vous poser, Eric. Pourquoi vous être embarrassé dans votre périple écossais de Christopher von Bremer ?

— Bah ! il m'a servi de garant. Ne serait-il pas encore prêt à jurer que je ne vivais que dans l'amour de Ludmillia ? Quant à mon voyage dans ce pays de malheur que je déteste au plus haut point (Il y pleut tout le temps !), vous en comprenez la raison. Je voulais voir s'il n'y avait pas autre chose à glaner de ce côté là... Après tout, Robert Whiseley serait peut-être heureux de retrouver sa fille ? S'il avait été riche, j'aurais pu lui extorquer pas mal de fric, non ?

— Embarquez-moi cette ordure ! cria le commissaire après avoir sollicité l'approbation du juge. Ah ! de l'air, de l'air ! s'exclama-t-il encore en ouvrant toute grande la fenêtre. Mon Dieu, Sir Herbert, comme vous avez dû souffrir de devoir faire bonne figure à cette crapule tant qu'elle est demeurée sous votre toit !

On avait remis les menottes au criminel. Aussitôt, il se mit à hurler et à invectiver l'assistance. Peut-être prenait-il enfin conscience du sort qui l'attendait. En tout cas, on dut le traîner pour le faire sortir du bureau.

— Un fou ! C'est un fou ! soupira le juge en se bouchant les oreilles, jusqu'à ce que les cris du journaliste se fussent enfin estompés dans l'enfilade des couloirs. Ce que je ne comprends pas, c'est pourquoi il vous a défié de cette manière, car, enfin, en venant vous trouver, il s'est mis tout bonnement dans la gueule du loup !

— Les criminels ont ceci de particulier qu'ils s'imaginent toujours être les plus malins, mais dans le cas présent avait-il réellement le choix ? Il savait que Ludmillia avait atterri à l'hôpital Cochin, il savait également que je m'en occupais, les journaux en ont assez parlé ! Comment pouvait-il rentrer en scène sans attirer les soupçons ? Il s'était créé un personnage d'amoureux transi à la recherche de sa bien-aimée. Il lui était impossible de se précipiter à l'hôpital, puisque officiellement il ne savait pas ce qu'elle était devenue. C'est alors qu'il décida de faire appel à mes bons offices.

— Vous avez rempli votre contrat au-delà de toute espérance ! Mon cher, encore merci et... bravo !

Herbert s'inclina comme s'il se trouvait devant l'ambassadeur de Sa Gracieuse Majesté la reine d'Angleterre en personne. En fait, il avait hâte de se retrouver libre, libre de retourner au chevet de Ludmillia, de l'aider à reprendre pied dans la réalité, sans pour autant la laisser sombrer dans la mélancolie.

Il faudrait beaucoup de vigilance pour faire oublier à ce jeune être la vilenie de celui qu'elle avait si longtemps considéré comme un ami, presque un frère...

Cette amitié entre un homme et une femme que Lord Byron a un jour rapprochée de l'amour, en la traitant si joliment « d'amour sans ailes »...

EPILOGUE

« Il est si doux, parmi les désenchantements de la vie, de pouvoir se reporter en idée sur de nobles caractères, des affections pures et des tableaux de bonheur. »

G. FLAUBERT,
Madame Bovary.

Extrait du journal intime d'Herbert Smith

Il y a maintenant deux ans que Ludmillia a réintégré le château des Bremer. Elle y mène une vie saine et studieuse, partageant son temps entre les comptes de gestion du domaine, les œuvres de charité de la commune, l'équitation et la lecture. Peut-être les soirées lui paraissent-elles un peu longues, surtout l'hiver, quand neige et verglas isolent le Grossglockner et la terrasse panoramique de la Franz-Josefs-Höhe du reste du monde... Alors, elle m'écrit une lettre déchirante, si pleine de tendresse que mon cœur fond comme les glaces de la Pasterze sous le soleil.

— Venez ! J'ai tant besoin de vous !

Qui ne se sentirait flatté, ému aussi ? Ludmillia est entrée dans ma vie par la grande porte de la mort. Un miracle — je continue à penser qu'il en existe parfois — a ramené son esprit à la connaissance, et quand je dis connaissance, ce n'est pas seulement de lucidité que je veux parler, mais tout ce qui fait que l'on peut reprendre pied dans l'existence, malgré les vicissitudes et les chocs, l'horreur que certains êtres vous inspirent...

Elle n'a pas pardonné à Eric Lund, mieux : elle a oublié. Le petit garçon qui trottait à côté d'elle dans les sentiers ravinés, l'adolescent qui l'attendait près de la barrière blanche où s'incline toujours le vieux chêne tordu n'ont rien de commun avec l'homme transformé en fauve, un jour d'aberration mentale. Elle m'a seulement dit :

— Je ne me marierai jamais !

Je sais moi que l'âme des jeunes filles déçues se retranche de tout ce qui pourrait leur faire mal à nouveau, et je ne proteste pas ! Je cherche... Je cherche autour de moi le prince Charmant qui réveillera la Belle au bois dormant. Jusqu'à ce château de Bremer qui se prête à ce conte, peut-être moins enfantin qu'il n'y paraît...

Je ne résiste pas à un appel de Ludmillia. J'ai éclairci pour elle la dernière énigme, celle qui, en intervenant dans sa personnalité, aurait pu la perturber gravement.

Robert Whiseley s'est éteint doucement, sur le grabat de son campement, à l'orée des Rocheuses, auprès d'un cours d'eau plus glaciale que les profondeurs du loch Ness, il y a tout juste un an et six mois. Ce que j'en ai su m'a amené les larmes aux yeux, car sa vie fut de celles que personne n'envierait. Il a subsisté tant bien que mal pendant presque vingt ans au désastre de ses jeunes années. On le disait original, poète à ses heures, s'arrêtant dans les villages pour raconter des histoires aux enfants. Il se trouvait rarement dans l'assistance une petite fille brune aux yeux bleus, mais lorsqu'il y en avait une, il vidait ses poches pour lui offrir des bonbons. Sans doute voyait-il en elle sa petite Maureen, ravie si tôt à son affection. Je ne suis pas sûr que les femmes aient le privilège des grands sentiments. L'amour paternel, bien que s'exerçant souvent sous d'autres formes, peut être aussi profond, aussi durable. La rencontre de Robert Whiseley et de Ludmillia n'a jamais eu lieu. N'est-ce pas préférable ?

Karl en prison, Marion, sans doute pour sauver son frère, est revenue sur sa version :

— J'ai menti. Ludmillia est bien née à Bulle, de feu le baron et la baronne von Bremer.

A partir de cet instant, personne n'a jamais pu lui faire dire le contraire. Mais y a-t-il un contraire ? Là réside le mystère.

Je reste quant à moi persuadé que Ludmillia est bien une Whiseley. Quand l'Etat s'est emparé de Whiseley-Hall, hypothéqué depuis des années, je me suis rendu sur les lieux. De la cave au grenier, tout ce qui avait résisté au temps a été vendu. Je me suis particulièrement intéressé aux toiles de maîtres, prêt à renchérir sur les amateurs et les antiquaires. Restaurés, quelques tableaux feraient encore leur petit effet dans une demeure de Cornouailles, du pays de Galles ou d'ailleurs... Tout a défilé devant moi, tout... sauf l'irremplaçable portrait dont parlait Eric dans son récit. Je n'ai pas vu de belle dame vêtue d'atours d'un autre âge offrir à ma perplexité un sourire tendre quelque peu énigmatique... Qu'est devenue cette toile ? Si je n'avais le témoignage de Christopher von Bremer, je croirais qu'Eric l'a inventée de toutes pièces. S'en était-il emparé avant de quitter l'Ecosse ? Probablement, mais j'ignore ce qu'il en a fait. Il n'a pas été question de ce détail au procès. Les experts ne l'ayant pas déclaré sain d'esprit, le verdict s'est trouvé en rapport. Eric est maintenant interné dans un hôpital psychiatrique des environs de Schönbrunn, d'où il n'aura aucune chance de sortir jamais. La pire des prisons, avec pour toute harmonie musicale le hurlement des détenus qui se prennent indifféremment pour un chien ou pour le duc de Reichstadt !

Ludmillia a simplement dit :

— J'aurais préféré qu'il mourût.

Moi aussi. J'ai toujours pensé que la peine de mort est la meilleure solution dans les cas extrêmes. Je ne suis pas sûr que, sous le couvert du respect de l'humanité, nous ne sommes pas plus sadiques que les assassins. C'est là, bien entendu, une théorie toute personnelle, qui ne saurait engager que ma propre responsabilité...

Et voilà que je relis la dernière lettre de Ludmillia. Elle a, dit-elle, aidé à rentrer les foins, et on l'a sollicitée pour qu'elle fasse partie du Conseil municipal aux prochaines élections. Elle passe ainsi du coq à l'âne avec un certain humour, mais je devine derrière les mots enjoués ceux qu'elle écrit rarement :

— Je suis si seule...

Oui, trop seule, malgré la considération des gens qui l'entourent. Il lui faudrait une évasion, un voyage, pourquoi pas ? Aussitôt pensé, aussitôt décidé... Je vais lui demander de m'accompagner... Oh ! nous n'irons pas dans les Highlands ! Je redoute trop pour elle les désirs informulés que suscitent les souvenirs imprécis. Mais l'Italie, pourquoi pas ? Comme par hasard, je reçois un appel téléphonique de ma filleule Gladys Albucci qui se dit très intriguée par mon histoire de cœur avec cette petite Autrichienne. Aussitôt, je proteste :

— Je l'aime, comme je vous aime, vous, darling ! Sans aucune arrière-pensée. Ma réputation de don Juan ? Du vent, rien que du vent ! Je soupçonne John d'en être un peu le responsable !

J'entends son rire clair, et des souvenirs — des vrais ! — affluent en moi...[1]

— Je m'ennuie de vous, Herbert... (Elle aussi !) Pourquoi ne venez-vous pas ?

— Oui, pourquoi ? dis-je. Eh bien ! préparez tout pour nous recevoir Ludmillia et moi ! Nous serons chez vous à la fin de la semaine...

Et me voilà à Heiligenblut. Ma jeune amie m'attend sur le seuil du château, vêtue d'un tailleur prune qui lui va à ravir. Un gros chien tout blanc, un samoyède, la regarde de ses yeux pailletés d'or en remuant la queue.

— Je voudrais l'emmener, Herbert. Est-ce possible ?

— Hum ! Un peu encombrant, ne croyez-vous pas ?

Pour plaider sa cause, Micky pose ses deux pattes sur ma poitrine, au risque de me renverser, si bien que mon chapeau tombe et que je perds mes gants ! Ludmillia éclate de rire ce qui prouve que je dois faire une drôle de tête.

— Il a tous ses vaccins, vous savez !

---

1. Lire « L'Honneur des Albucci », du même auteur (Presses de la Cité).

— Oh ! dans ce cas !

Nouveau rire. Maintenant, je sais que Ludmillia est guérie. J'en ai la preuve en cette minute. Elle reprend goût à la vie, elle envisage notre voyage comme le comble du bonheur.

En rajustant mon chapeau, je souris malicieusement. « Non, petite amie, ce n'est pas cela le bonheur... Mais je dois reconnaître qu'il s'en approche beaucoup ! »

ACHEVÉ D'IMPRIMER
SUR LES PRESSES
DE L'IMPRIMERIE S.E.G.
33, RUE BÉRANGER
CHATILLON-SOUS-BAGNEUX

Numéro d'édition : 5011
Numéro d'impression : 2921
Dépôt légal : janvier 1985